RUBEM FONSECA
MANDRAKE: A BÍBLIA E A BENGALA

Posfácio de Sérgio Augusto
4.ª edição

Editora
Nova
Fronteira

Copyright © 2005 by Rubem Fonseca

Direitos de edição da obra em língua portuguesa no
Brasil adquiridos pela EDITORA NOVA FRONTEIRA
PARTICIPAÇÕES S.A. Todos os direitos reservados.
Nenhuma parte desta obra pode ser apropriada e estocada
em sistema de banco de dados ou processo similar, em
qualquer forma ou meio, seja eletrônico, de fotocópia,
gravação etc., sem a permissão do detentor do copirraite.

EDITORA NOVA FRONTEIRA PARTICIPAÇÕES S.A.
Av. Rio Branco, 115 -- Salas 1201 a 1205 -- Centro
20040-004 4 -- Rio de Janeiro -- RJ -- Brasil
Tel.: (21) 3882-8200

IMAGENS DE CAPA: Shutterstock - majivecka/
Anabela88/Eladora/tristan tan

DADOS INTERNACIONAIS DE CATALOGAÇÃO
NA PUBLICAÇÃO (CIP)

F676m   Fonseca, Rubem, 1925-2020
         Mandrake: a Bíblia e a bengala / Rubem
   Fonseca. 4. ed. -
   Rio de Janeiro: Nova Fronteira, 2023.
         160 p.; 13,5 x 20,8cm

         Posfácio por Sérgio Augusto

         ISBN: 978 65 5640 638 1

         1. Literatura brasileira I. Título.

                     CDD: B869
                     CDU: 821.134.3(81)

André Queiroz - CRB-4/2242

Conheça outros livros da editora:

SUMÁRIO

MANDRAKE E A BÍBLIA DA MOGÚNCIA
7

Começando pelo princípio
9

O Clube dos Bibliomaníacos
18

Angélica
21

Mais estranha que a ficção
27

O incunábulo de Gutenberg
35

O incunábulo de pele da cabritilha
38

Caso solucionado
47

Vida de advogado criminal
71

Karin
75

Morcegos voando no crepúsculo
78

O colecionador
84

Angélica
90

A BENGALA SWAINE
93

Loucuras de maio
95

A extorsão
105

A impostora
110

Um assassinato misterioso
121

Um crime perfeito?
136

A vida continua
140

Começa tudo de novo
144

Mágico sem cartola – Sérgio Augusto
151

MANDRAKE: A BÍBLIA E A BENGALA

COMEÇANDO PELO PRINCÍPIO

Meu nome é Mandrake. Sou um advogado criminalista. O caso que vou relatar comprova, como disse alguém cujo nome não recordo, que a verdade é mais estranha que a ficção porque não é obrigada a obedecer ao possível.

Como poderia eu imaginar que me envolveria com a história do incunábulo de Gutenberg, com o anão, com o Caveirinha, com o cofre Fichet, com os assassinatos, principalmente o da pobre mulher madura que pela primeira vez em sua vida estava apaixonada, uma mulher que gostava de livros e de gatos — toda mulher gosta de gatos, até mesmo aquelas que não gostam de livros.

Cheguei ao escritório por volta das oito, acessei a internet e comecei a ler, seletivamente, como de costume, cinco jornais de cidades espalhadas pelo mundo, além de um do meu país, algo que me tomava, aproximadamente, quarenta minutos. Antes, eu recebia em casa dois jornais locais, de papel, em cuja leitura demorava mais de uma hora, pois acabava lendo os seus vários suplementos, mesmo quando eles não me interessavam, um monte de informações inúteis para mim. Eu leio qualquer papel escrito que vejo na minha frente. Quando estou andando na rua e recebo um desses folhetos de propaganda distribuídos manualmente, eu sempre os aceito, para ajudar quem os distribui, ultimamente mais mulheres do que marmanjos, todos precisando se livrar dos folhetos para ganhar uns trocados, e, antes de amassá-los e jogá-los na lata de lixo mais distante, eu os leio cuidadosamente, seja lá o que for, anúncio de restaurante, de salão de beleza, de cartomante.

Estava lendo *Le Monde* no monitor quando Luma abriu a porta da minha sala dizendo bom dia doutor. Não precisei conferir a hora, eram certamente oito horas e trinta, Luma era de uma pontualidade doentia, para não se atrasar chegava vinte minutos antes e ficava esperando, oculta em algum lugar.

Weksler, o meu sócio, entrou na minha sala junto com Luma, que trazia uma bandeja com duas xícaras de café. Na sala dela, ao lado do seu banheiro, havia uma minikitchenette com pia, forno elétrico e uma pequena máquina italiana de fazer café expresso. Weksler estava sempre triste, eu não sabia se era da idade ou porque ele era um judeu cheio de recordações tristes, seus pais morreram em Buchenwald. Aliás, todos os meus amigos judeus eram tristes – Figenbaum e Berlinski, principalmente. Para falar a verdade, a maioria das pessoas que eu conhecia eram tristes, mesmo aquelas que estavam bem de vida. É aquela merda do velho ditado que diz que quanto mais a pessoa tem, mais quer ter. Weksler também estava começando a ouvir mal, sempre que conversávamos virava o ouvido melhorzinho para o meu lado, a orelha esquerda. Dia sim, dia não eu dizia ao Weksler para comprar um daqueles aparelhos para deficientes auditivos, mas ele não queria admitir que era surdo.

Weksler perguntou se eu havia lido os jornais. Só tem merda, respondi. Ele me olhou com o olhar de quem está inquirindo uma testemunha. Acordou de mau humor? Brigou com Angélica? Novamente Luma entrou na sala, com uma agenda na mão, dizendo que dona Karin Altolaguirre havia chegado. Ela é pontual, marcou nove e trinta e chegou às nove e trinta, isso é raro numa mulher tão linda. Era a primeira vez que Luma chamava alguma mulher de linda, no máximo era bonitinha. Nome mais esquisito, não é, doutor?, sussurrou, olhando antes, de soslaio, para o meu relógio de pulso para ver se a hora estava certa. Seu relógio está adiantado dez minutos.

Pouco depois, Luma abriu a porta da minha sala para dar passagem à visitante. Era uma mulher jovem, esguia, vestida com elegante discrição, parecia ter saído de um conto de fadas com seu rosto inocente, sua tez clara e os cabelos de um castanho-claro viçoso. A visão de uma mulher bonita é sempre uma espécie de epifania, o aparecimento de uma divindade, e o sentimento que nos domina, não fosse ele presidido por Eros, seria parecido com aquele que a música desperta em nós. Não tenho vergonha da minha libido, é a energia fisiológica e psíquica associada a toda atividade humana construtiva; ela se opõe a Tânatos, o instinto da morte, fonte de todos os impulsos destrutivos. Sei que para muitos esse raciocínio é mais literário do que científico, e pode parecer que estou usando Freud para fazer minhas racionalizações. O que posso responder?

Levantei-me e indiquei à dona Karin uma das cadeiras em frente à minha, à esquerda daquela onde Weksler estava sentado. Este é o doutor Weksler, meu sócio. Muito prazer, disse ela, sentando-se, nervosa, tirando um maço de cigarros da bolsa. O fumo o incomoda? Dona Karin fazia pequenos intervalos em sua fala, como se escolhesse os vocábulos que deveria usar. Respondi que fumava charutos, ela remexeu na bolsa, procurando um isqueiro ou uma caixa de fósforos. Mulheres nervosas nunca acham as coisas dentro da bolsa. Apanhei na minha gaveta uma caixa de fósforos longos, levantei-me, aproximei-me dela, o perfume do seu corpo inundou meus sentidos, acendi seu cigarro. Deixei a caixa sobre a mesa, na sua frente. Ela pegou a caixa, fósforos estranhos, disse, e eu expliquei que eram especiais para charutos. Posso começar do princípio?, perguntou, depois de acender o cigarro. Para um advogado às vezes é melhor o cliente começar pelo fim, eu disse, e ela lançou-me um olhar arguto, como se procurasse algum significado oculto por trás das minhas palavras.

Pelo fim... Está bem, vou começar pelo fim. Um... um amigo meu, Carlos Waise, desapareceu há dois dias. Karin, com a sua maneira de falar pausadamente, contou que Carlos trabalhava numa loja de livros raros e costumava indicar-lhe bons livros à venda por particulares, em livrarias ou em leilões. Carlos não sumiria sem me dar notícias, tenho medo de que alguma coisa grave tenha acontecido com ele. Weksler perguntou se ela havia ido à polícia comunicar o desaparecimento e ela respondeu que o doutor Medeiros, um amigo do seu pai, indicara o meu nome. O velho doutor Medeiros chutava para mim só aquilo que não dava muita grana. O doutor Medeiros me disse que os advogados criminalistas têm maneiras de investigar essas coisas sem envolver a polícia. Ela deu uma tragada funda no cigarro, fazendo o seu rosto ficar mais magro. Explicou que Carlos certa ocasião fora preso por uso de drogas, tinha receio de que a polícia passasse a investigá-la também, o que poderia lhe causar transtornos, seu nome sairia nos jornais, o que mataria o pai de desgosto. Somos muito unidos, até hoje eu moro com ele. É um homem muito conservador, Aquilino Altolaguirre, o senhor o conhece?

Fiz um gesto de anuência. Mas eu não o conhecia nem nunca tinha ouvido falar nele. Tenho meus contatos, dona Karin, vou ver o que posso fazer, a senhora tem uma foto de Carlos Waise? Karin trazia na bolsa um recorte de revista com uma foto do sujeito, sentado em frente a uma mesa sobre a qual havia uma pilha de livros. Ele tem olhos azuis, essa foto eu recortei de uma revista com uma reportagem sobre a Livraria Antique, onde Carlos trabalha e da qual sou cliente. Fez uma pausa. Esperei. Sou uma colecionadora obsessiva de livros raros, eu e um punhado de amigos fundamos o Clube dos Bibliomaníacos, fazemos jantares semanais, sempre às quintas-feiras, cada semana na casa de um de nós. O senhor se interessa por livros raros? Deixei passar a pergunta, nunca me interessei por objetos que apenas são valorizados por terem trezentos anos de idade. Se forem me dar um presente e pedirem

para escolher entre a primeira edição de *A divina comédia* e qualquer livro de Fernando Pessoa editado ontem, prefiro o Pessoa. Esse meu desprezo inclui selos, automóveis, vasos de porcelana, canetas-tinteiro e trombones de vara raros.

Novamente ela ficou em silêncio. Percebi que era uma mulher nervosa, tensa. Gostaria de olhar mais tempo, em silêncio, seu rosto de fada, mas fixei os olhos na janela. Quando a temperatura estava amena eu costumava desligar o ar-condicionado e abria as janelas que davam para a rua, e sempre, pela manhã, um passarinho verde pousava na esquadria e caminhava, ou melhor, dava pulinhos, de um lado para o outro, como se tivesse vontade de entrar na minha sala. Ele ficava olhando para mim, nós dois imóveis, um contemplando o outro, olhos nos olhos, depois o passarinho voava. Mas as janelas, naquele momento, estavam fechadas. Que outras informações a senhora pode nos dar sobre Carlos Waise?, perguntou Weksler. Sei apenas que ele foi abandonado na porta de um convento alemão, os monges lhe deram esse nome. Waise, em alemão, significa órfão. A senhora sabe onde ele mora? Não sei. Ele é casado? Solteiro? Não sei, não sei, doutor Mandrake, disse ela levantando-se abruptamente, tenho que ir embora, tenho um compromisso urgente.

Levei-a até a porta de saída. Por favor, deixe seu telefone e endereço com a secretária. Eu lhe darei notícias.

Weksler fez uma careta quando voltei a sentar-me junto dele. Você não pode ver mulher bonita, você está doente, porra, procurar o namorado de uma mulher é coisa que você devia recusar in limine, isso é coisa para investigador particular ou então advogado de quinta categoria. Mandei o Weksler deixar de ser ranzinza. Procura para mim, na internet, esse Aquilino Altolaguirre.

Weksler saiu. Ele só sabia trabalhar no computador dele. Carlos provavelmente era namorado de Karin, e procurar o namorado desaparecido de uma mulher era o tipo de coisa que eu nunca fizera, namorados e namoradas, mesmo maridos e mulheres

desaparecidos têm sempre a mesma causa, um deles se cansou e não teve coragem de dar o bilhete azul para o outro. Weksler estava certo, aquilo era trabalho para investigador particular ou então advogado de quinta. Mas as mulheres bonitas me induziam a fazer besteiras, e Karin Altolaguirre era mais do que uma simples mulher bonita.

Weksler entrou na sala com um papel impresso na mão. Pesquisei na internet o nome Aquilino Altolaguirre, achei logo um site, não existe mais ninguém no mundo que não tenha o nome na internet. Vou ler para você. A biografia do megaempresário Aquilino Altolaguirre é um exemplo de dedicação ao trabalho e de coragem. Nasceu em uma família muito pobre, seu pai morreu quando ele tinha oito anos, e ele teve que trabalhar para ajudar a mãe a manter a casa. Passou fome, não pôde estudar, apenas aprendeu a ler e escrever, mas jamais se deixou abater pelos reveses que cercaram a sua infância e a sua adolescência. Esses panegíricos são foda, eu disse. Seu primeiro emprego com carteira assinada, continuou Weksler, foi aos catorze anos, como aprendiz de torneiro mecânico. Aprendeu o seu ofício e logo se tornou o principal torneiro mecânico da fábrica. Em seguida foi sendo promovido continuamente até chegar a diretor, e mais tarde sócio da empresa. Aquilino Altolaguirre acabou adquirindo a fábrica onde começou sua carreira, e, com perseverança e criatividade, transformou aquela pequena empresa na maior produtora de autopeças do país, a Altolaguirre S.A., orgulho da indústria nacional. Aqui diz ainda que o cara é um filantropo, que também financia o esporte olímpico, sempre anonimamente. Aquilino Altolaguirre, está escrito aqui, segue o preceito do Sermão da Montanha: quando fizerdes um donativo, não deixeis que a vossa mão esquerda saiba o que a vossa mão direita fez. O puto deve ter vários assessores de imprensa.

Pelo interfone pedi a Luma para procurar no catálogo o endereço da Livraria Antique e depois ligar para o Raul perguntando se ele pode almoçar comigo, o Weksler também vai. Luma sussurrou,

como se tivesse medo de ser ouvida, dona Neide Gonzaga está aqui, posso entrar com ela?

Neide Gonzaga estava nervosa. Depois de sentar-se, abriu a bolsa dizendo que tinha uma coisa para me mostrar. A bolsa de dona Neide era bem maior que a de Karin Altolaguirre. Ela começou a tirar coisas lá de dentro, agendas, frascos, tubos, escova de cabelo, pente, barras de cereal sugar-free, pílulas para emagrecer, lixa de unhas, livros, folhetos, caixinhas, bijuterias, um pacote de biscoitos, seria difícil imaginar que uma bolsa pudesse conter tanta coisa. Afinal dona Neide achou o que estava procurando. Um embrulho de plástico, que foi aberto em cima da minha mesa. Está vendo? Era um monte de pedaços de plástico e de metal. Quando perguntei o que era aquilo, ela respondeu que esmigalhara seu celular com um martelo no dia seguinte ao do acidente. Joga isso fora, dona Neide, a senhora não deve ficar se punindo. Ela tirou um lenço da bolsa e começou a chorar.

Raul já estava sentado a uma mesa, tomando água mineral e consultando o bloco de anotações, quando chegamos. Não existe tira que não tenha um bloco de anotações. Você engordou cinco quilos, disse Weksler. Raul, suspirando, disse que havia engordado oito. Que diabo estou fazendo aqui num restaurante cheio de sobremesas irresistíveis? Raul era louco por uma sobremesa portuguesa chamada toucinho do céu. Perguntei se ele estava fazendo regime e quando ele respondeu afirmativamente eu lhe disse para começar só na segunda-feira, regime começa na segunda-feira, vamos comer uma caldeirada de frutos do mar com um tinto português.

No meio do almoço, quando o vinho já tinha amolecido nossos corações, perguntei como ia a Homicídios. O que você quer saber?, porra, estou cansado de investigar crimes de morte, prender criminosos, prender inocentes, estou louco para me aposentar. Olha aqui. Abriu a pasta que carregava, tirou um diploma, uma folha de cartolina com desenhos em alto-relevo nas bordas; no lado

esquerdo, um símbolo que não identifiquei, mas que, depois de ler o cabeçalho, saquei que era uma rã. Estava escrito, em alto-relevo: *Diploma. A Associação Brasileira dos Criadores de Rãs confere o presente certificado a Raul de Sá por participação no Curso de Ranicultura realizado no Rio de Janeiro*. Seguiam-se a data e as assinaturas do presidente, do secretário da associação e do coordenador do curso. Vou mandar enquadrar, disse Raul, olhando o diploma com orgulho. Agora está interessado em rãs?, perguntou Weksler, e Raul afirmou que rãs sempre o haviam interessado, antes só para comer, mas estava cansado, queria se aposentar, viver no seu sitiozinho lá no meio do mato criando rãs, sítio esse que eu não conhecia apesar dos quinhentos convites que me fizera.

Para pessoas como eu e o Raul, cujo prazer maior ao beber é ficar levemente embriagadas, a segunda garrafa é sempre melhor. Enquanto você não é o maior criador de rãs da Serra e continua apenas o policial cansado e desiludido que chefia a Delegacia de Homicídios, tenho um favor a lhe pedir. Contei a ele a história de Karin Altolaguirre. Porra, Mandrake, antigamente você não faria um servicinho de merda desses por mulher nenhuma. Você pirou ou ela é muito gostosa.

A livraria estava localizada num prédio antigo de pé-direito alto, com estantes abarrotadas de livros velhos de capa dura que cobriam as paredes até o teto. Um mezanino percorria toda a extensão das estantes, permitindo a consulta dos livros localizados na parte superior. Um sujeito magro, de rosto macilento, se aproximou perguntando em que podia servir-nos. Raul tirou sua carteira de policial do bolso. O camarada levou um susto. Gostaríamos de ter algumas informações sobre um empregado da livraria de nome Carlos Waise, eu disse. É um ótimo empregado, o cara respondeu. Ouvimos a voz, no mezanino, de um homem de cabelos brancos, cuja presença até então não havíamos notado, dizendo, Caveirinha, deixa que eu atendo. Com dificuldade, o velho desceu a escada do mezanino e aproximou-se de nós. Meu nome é Pierre Ledoux, sou o dono da loja.

Ledoux tinha uma voz fraca e forte sotaque francês. Tirou do bolso uma bombinha contra a asma e usou-a rapidamente. Asma, ele se desculpou. Estamos procurando o senhor Carlos Waise, disse Raul. O livreiro perguntou se havia acontecido alguma coisa com Waise. Raul, como todo tira, não responde, pergunta. Ele tem vindo trabalhar? Ledoux hesitou. Um momento. Caveirinha, Caveirinha, gritou para os fundos da loja. O esforço de gritar fez com que Ledoux ficasse sem ar e fosse obrigado a usar outra vez a bombinha.

O sujeito macilento surgiu de repente. Há quantos dias o Carlos não vem? Quatro, disse Caveirinha. Que cabeça a minha!, exclamou Ledoux, estou me lembrando agora que o Carlos me pediu uma semana de licença, deve voltar na semana que vem. Raul perguntou se a asma atrapalhava sua memória e Ledoux, ignorando o tom de zombaria, respondeu que era um homem velho, a velhice causava aqueles lapsos. Enquanto esse diálogo ocorria, dei uma olhada nos livros nas estantes. Ledoux perguntou se nos interessávamos por livros raros. Um tira se interessa por tudo, respondeu Raul, acrescentando que voltaríamos outro dia.

Esse cara está mentindo, disse Raul quando chegamos à rua. Respondi que notara algo estranho, talvez receio de nós, todo mundo tem medo da polícia, ou então estava ocultando alguma coisa. E o Caveirinha? Você já viu sujeito mais sinistro? Discutimos um pouco a compreensão dos sinais da linguagem corporal e outros, mas não chegamos a um acordo. Pedi a Raul que levantasse para mim a ficha do Carlos Waise.

Naquela noite sonhei com Karin. Ela estava nua, estendia a mão para mim e dizia, vem. Só me lembro disso, mas de uma maneira tão vívida que parece ter realmente ocorrido.

O CLUBE DOS BIBLIOMANÍACOS

Na manhã de quarta-feira recebi o seguinte bilhete.

Doutor Mandrake. Amanhã, quinta-feira, às 21 horas, é o jantar do Clube dos Bibliomaníacos. Na minha casa. Nessas noites o meu pai não aparece, tranca-se no escritório, creio que ele acha os meus amigos uns idiotas. O anfitrião pode convidar um amigo ou amiga que aprecie livros raros e eu gostaria de convidá-lo para jantar conosco. Cordialmente, Karin Altolaguirre.

Quinta-feira era o dia da reunião de uma associação assistencial da qual Angélica era voluntária. Ela não faltava nunca. Eu estava livre, e o sonho que tivera com Karin não me saía da cabeça. Resolvi aceitar o convite.

Karin morava numa casa na Gávea. Na frente havia um jardim com árvores de grande porte. Cheguei de táxi, rigorosamente no horário marcado. Karin e todos os demais membros do Clube dos Bibliomaníacos já me esperavam.

Karin me apresentou primeiro às duas mulheres. Lucíola Medina, disse ela, apontando uma mulher de quarenta anos, magra, com sorriso simpático. Georgina Albuquerque, outro gesto indicativo, mulher de aproximadamente cinquenta anos, dona de empresa de informática. Venâncio Flores. Nome de rua, disse ele, bem-humorado. O segundo marmanjão era um conhecido empresário do sector financeiro, eu o conhecia de nome, Salvador Passos, não sabia que ele se vestia como um dos seus empregados mais humildes, aqueles dois eram homens de mais de cinquenta anos, gordos, talvez gulosos não apenas de livros raros. O terceiro era um homem na casa dos trinta, alto, elegante, não parecia colecionador de livros, mas de troféus esportivos, o nome dele era Rafael Pedrosa. O último dos membros masculinos do Clube dos Bibliomaníacos era um sujeito de idade indefinível, de nome Heitor de Oliveira Gomes, muito gordo, a cabeça inteiramente raspada, que antes mesmo que eu estendesse a mão para cumprimentá-lo fez um movimento curto da cabeça, os braços ao longo do corpo, dando a entender que a apresentação se encerrava com aquele gesto. Fiz o mesmo.

Karin pegou-me pelo braço dizendo, vocês me dão licença, enquanto o jantar não é servido vou mostrar minha coleção de livros raros ao doutor Mandrake. Caminhamos até uma sala enorme, com paredes forradas de estantes repletas de livros. Esta é a biblioteca do meu pai, são milhares de livros, mas entre eles não existe um único livro raro, papai não gosta de livros raros. Esse nome Clube dos Bibliomaníacos foi sugerido sarcasticamente por ele, porém nós o adotamos. Chegamos a uma outra sala menor com menos estantes e menos livros. Karin disse que aqueles eram os seus livros, que tinha obras raras de autores de todas as línguas importantes, mas que a sua preferência era por literatura francesa. Essas são primeiras edições de Montaigne, Voltaire, Montesquieu, Balzac. Fingi que estava impressionado, mas, repito, estou cagando para livros raros. Disse a ela que gostava de Pascal, mas Karin deixou passar, acho que pensou que eu estava mentindo, mas era verdade, eu gostava mesmo de Pascal. Karin tirou um livro da estante, este aqui talvez seja o livro mais raro que eu possuo, a primeira edição do *Testament* do Villon, onde está um

dos poemas de que eu mais gosto, "Ballade des dames du temps jadis". Que vida infeliz que ele teve, morreu jovem, na miséria, foi preso, sofreu muito, coitado. Mas acho que isso é comum entre os poetas, o sofrimento. Perguntou se eu gostava de ler, e quando eu disse que lendo aprendia-se muito Karin me cortou dizendo que não devíamos esquecer, como dizia Montaigne, que a sabedoria tem seus excessos e precisa tanto de moderação quanto a tolice. Eu estava tão encantado que achava muito inteligente tudo o que ela dizia. Meu olhar a perturbou. Vamos nos juntar aos outros na sala?

Os comensais estavam sentados em volta da mesa. O jantar foi servido à francesa por duas empregadas uniformizadas. Durante o jantar, falaram das respectivas bibliotecas. Lucíola disse que a menor de todas era a dela, que a maior de todas era a do Salvador, e que a do Heitor ninguém sabia como era. Pelo que ouvi, Heitor era o único que quando chegava a sua vez realizava o jantar na sala especial de um restaurante.

O gordo com careca de gesso falou pouco sobre as trivialidades discutidas na mesa, só se interessava quando falavam de alguma raridade bibliográfica. Pouco antes do término do jantar, Rafael Pedrosa levantou-se e propôs um brinde à anfitriã, de quem já fora noivo. Karin ouviu de cara fechada. Depois, Rafael, cuja língua parecia destravada pela bebida, contou que uma disputa em torno de uma primeira edição dos *Essais*, de Montaigne, causara a separação deles.

Karin me levou até a porta. Disse, na sua maneira hesitante, nunca senti amor por aquele idiota. Tive sorte com o caso Montaigne, arranjei um pretexto para me livrar dele. Desculpe, só hoje percebi como essas reuniões do clube são vulgares e maçantes.

ANGÉLICA

Angélica tinha a mania de chamar todas as minhas ex-namoradas de ninfomaníacas ou então de putinhas. Eu dizia que ninfomania não existia, esse conceito foi inventado por nós, os homens, para denegrir e desencorajar as mulheres que gostam de sexo. Os homens são inseguros quanto à sua potência sexual, e a ideia de que uma mulher possa ser mais motivada sexualmente do que eles os apavora. Eu também sou ninfomaníaca, e posso dizer isto – eu quero foder agora. Ela queria me chocar, acho até interessante ouvir uma mulher pudica falar de maneira despudorada, quanto mais pudica e recatada mais excitantes são as obscenidades que profere, os atos candidamente sexuais que comete, como o sexo oral e todas aquelas infrações à moral hipócrita. Claro que eu também queria ir para a cama com Angélica, eu gosto de sexo tanto quanto ela, mas tenho a sorte de ser homem e ninguém me chama de maníaco por ter tido tantas mulheres na minha vida, qualificam-me de "viril", de maneira congratulatória. Eu sou admirado, uma mulher com o meu comportamento é execrada.

Fui para a cama com Angélica. Como é prazeroso fazer amor com uma mulher que não é um animal doméstico como uma puta ou uma dona de casa, mas uma mulher soberana, com ideias próprias e que se comporta de acordo com a sua consciência livre, que não se submete às interdições que as mulheres sempre sofreram quanto a poder usar todas as partes do seu corpo como fonte de prazer sexual, sem se sentir suja, culpada por não usar apenas aquela via que permite o despejo de espermatozoides no útero, de preferência sem sentir prazer no ato, como exigem os obscurantistas. O único troço chato é que ela gosta de dormir abraçada comigo, quando tento me soltar ela ainda me aperta mais, diz que tem pesadelos todas as noites, mas, quando dorme comigo, se me abraçar o pesadelo se esvaece ou se torna um sonho bom, e que quando dorme sozinha o pesadelo a atormenta tanto que ela acorda apavorada e tem medo de voltar a dormir e lava o rosto e faz um café no micro-ondas para se livrar do sonho ruim. Vai ver essa é a razão de as mulheres gostarem de dormir acompanhadas. Mas o problema é que eu, quando durmo acompanhado, levanto sempre com dores na coluna, no ombro. Mas não estou me queixando, o amor tem essas coisas, o sujeito dorme abraçado a noite inteira e acorda todo dolorido e, durante algum tempo, sente-se feliz por ver aquela mulher que ele ama deitada ao seu lado.

Creio que isso é uma pequena amostra do casamento. Toda noite dormindo na mesma cama e tomando café juntos, usando ou não o mesmo banheiro, fazendo planos, tornando a relação, aos poucos, um projeto de administração dos vários encargos intrínsecos ao casamento: a criação dos filhos, a construção da casa ou barraco ou palácio, o amealhar dos necessários recursos financeiros e outros desdobramentos que afinal tornam as relações do casal cada vez mais íntimas e reciprocamente desaprazíveis. O casamento acaba com a paixão. Paul Veyne disse que a paixão se submete aos imperativos da tribo. Talvez por isso, na Antiguidade, uma certa corrente filosófica aconselhava a apenas se frequentarem mulheres "inesposáveis" e que se celebrassem poeticamente com cantos unicamente as mulheres com quem não se casa.

Estávamos deitados na cama quando o meu celular tocou.

Era Karin. Teve alguma notícia do Carlos? Estou tão preocupada que não consigo dormir. A senhora podia fazer o favor de ligar amanhã cedo para o meu escritório? Desculpe, disse ela, desligando.

Angélica perguntou quem era e eu disse que era uma cliente velha e feia chamada Karin Altolaguirre.

Naquela noite sonhei novamente com Karin. Estávamos os dois deitados nus, numa cama forrada de um cetim que brilhava como se fosse de néon. Karin estava de costas para mim e fazíamos amor, os cabelos dela roçando o meu rosto. Aos poucos fui acordando e percebi que realmente estava fazendo amor com uma mulher de costas para mim. Era Angélica.

Raul ligou na hora do almoço. Garoto, dá um pulo aqui na Homicídios. Tenho um troço muito importante para te mostrar.

Parece uma sina, mas sempre que vou encontrar com Raul, minutos antes de eu sair do escritório, dona Neide aparece, sem hora marcada. Tenho pena dela e acabo atendendo. Ela entrou com seu semblante infeliz. Ai, ai, doutor Mandrake, voltei a fumar, sabe, antes daquela desgraça eu havia conseguido deixar de fumar, eu fumava desde a adolescência e aquilo estava arruinando a minha pele, as minhas unhas, as amigas da minha idade que não fumavam tinham a pele muito melhor, tudo por causa do cigarro, eles põem uma porção de porcarias no cigarro para viciar a gente, alcatrão, o diabo, não bastasse a nicotina, que é um veneno terrível. Pois, sabendo disso tudo, mesmo assim voltei a fumar, depois de seis meses sem fumar, por causa daquela infelicidade.

Dona Neide abriu a bolsa, tirou um maço de cigarros, olhou em torno, levantou-se, foi atrás da minha mesa, viu o recipiente onde eu jogava papéis rasgados, curvou-se sobre mim e atirou o maço lá dentro. De que adianta, ela suspirou, andando de um lado para o outro dentro do escritório, tenho outro maço de cigarros lá em casa, um maço, um pacote, vários pacotes. Ela estava nervosa,

mas desde o primeiro dia em que apareceu no escritório exibia aquele estado. Creio que antes do acidente já era assim. Perguntei se havia falado com o seu analista. Respondeu que sim, mas que o analista não dizia nada, só ficava ouvindo, quem falava era ela.

As delegacias de polícia podiam ser novas ou velhas, mas quase todas estavam deficientemente instaladas em prédios inadequados e sem o menor conforto. Raul estava no sujo e precário gabinete dele, a mesa atulhada de papéis esparsos e um ventilador velho desligado ou então com defeito. Senta aí, vamos fumar um charuto, disse ele abrindo a gaveta da mesa. Respondi que não fumava mata-ratos, mas acabei acendendo o charuto que ele me deu. Os baianos que Raul fumava não eram ruins, comburiam bem, mas eu gosto de charutos cubanos. Que merda, eu tinha parado de fumar e estava fumando outra vez, igual a dona Neide.

Encontrei um Carlos Waise nos registros da polícia, preso por tráfico de drogas, mas ele acabou sendo considerado apenas usuário. E tem mais, esse indivíduo foi também acusado de ter espancado uma mulher na praça Nossa Senhora da Paz, porém alegou em juízo que era sonâmbulo e que não sabia o que estava fazendo. O promotor tentou provar que Carlos Waise e a mulher eram amantes, mas não conseguiu. O advogado dele apresentou uma série de declarações de neuropsicólogos renomados e juntou aos autos transcrições de publicações médicas relatando casos em que pessoas sob o efeito do sonambulismo fizeram algo violento e inconsciente, um deles baleou um transeunte, outro pulou pela janela, o sonambulismo poderia ser causado por um forte trauma emocional, o que ocorrera com o seu cliente devido à morte da mãe; que o sonambulismo, em certos indivíduos, ocorria semanalmente, muitas vezes em crianças, que vagavam pelas ruas e, paralisadas, não achavam o caminho de volta. Agora a informação que vai deixar você feliz, Mandrake. Descobri o endereço do Carlos Waise.

Está hospedado num hotel da rua Corrêa Dutra, no Flamengo. Meu pessoal passou por lá, mas há dois dias que ele não aparece.

Dei uma baforada profunda e disse, para alegrá-lo, que o charuto estava bom. Qual a origem? A mesma de sempre, Raul respondeu, aquele meu amigo baiano compra no Mercado Modelo, em Salvador, e envia para mim. Uma caixa inteira é o preço de um único cubano. Mas eu mal ouvia a conversa de Raul. Pensava no anão.

Rumando para o endereço que o Raul me deu, cheguei ao Hotel Belmonte, na rua Corrêa Dutra, um pequeno prédio assobradado, de paredes caiadas de branco, um hotel de terceira categoria. Na portaria perguntei pelo senhor Carlos Waise. Ele não aparece há dois dias, disse o porteiro, o senhor é da polícia? Não. Estou com um dinheiro para entregar a ele. Ele está no bar, o porteiro disse.

Fui até o bar e vi um sujeito sentado num banco alto em frente ao balcão, tomando uma cerveja. Reconheci-o pelo rosto. Aproximei-me. Carlos Waise? Ele saltou do banco, surpreso. Eu também me surpreendi. Carlos Waise era um anão, sua cabeça mal atingia a minha cintura. Seus olhos azuis brilhavam, arregalados de medo.

Sou advogado da senhora Karin Altolaguirre, eu disse, tentando acalmá-lo. Ele afastou-se de mim rapidamente e saiu correndo, uma figura estranha com suas pernas curtas e abauladas. Fui atrás. Carlos corria pela Corrêa Dutra em direção ao Catete, com a velocidade máxima que um anão pode alcançar. Segui-o, caminhando. Confesso que senti vergonha de correr pela rua atrás de um anão. Quando cheguei à rua do Catete, ele havia desaparecido.

Peguei um táxi de volta para o escritório pensando em Carlos Waise. Ele não era um anão de etnia indefinível, Carlos era um anão branco de cabelos negros e olhos azuis. Um homem bonito de rosto, mas que possuía assimétricas pernas curtas e arqueadas, uma

desproporcionalidade comum nas formas de nanismo. (Eu sempre gostei de anões, conheci vários, infelizmente um deles era aquele sujeito mau e vingativo, um tal de Nariz de Ferro, dono de uma boate. Ele infligia aos inimigos torturas especiais que enchiam a pessoa de terror, além do sofrimento físico e da repugnância, que variavam de pessoa para pessoa. Um dia ele se vingou de um infeliz, cuja pior tortura era ter a pele em contato com uma barata, amarrando-o e enfiando-lhe baratas pela boca e pelo nariz.)

 Cheguei ao escritório e telefonei para o Raul contando o que havia acontecido. Você cagou tudo, ele disse. Respondi que quem cagara tudo fora o pessoal dele indo ao hotel e assustando o anão.

MAIS ESTRANHA QUE A FICÇÃO

Quando fui morar com o meu pai, assim que a minha mãe morreu, percebi a razão pela qual ela havia se separado dele. Papai vivia cercado de mulheres. Devia ser assim antes, quando os dois eram casados, e minha mãe deu um basta. Quando fui morar com ele meu pai nunca levou nenhuma mulher à nossa casa, mas estava sempre recebendo um telefonema feminino e dizia para mim, meu filho, tenho que sair, mas não demoro. Quase sempre demorava muito, às vezes nem dormia em casa.

Minha mãe deixou-o quando eu tinha um ano de idade, ele me visitava uma vez por semana, me levava ao jardim zoológico ou para passear de carro ou ver um desenho animado infantil, era muito gentil e carinhoso, mas eu sentia que ele esperava, aflito, o dia acabar para poder entregar-me de volta à minha mãe. Ele percebeu que eu estava muito triste, e durante bastante tempo só saía de casa para trabalhar, passava as noites em casa comigo, jogávamos xadrez e principalmente conversávamos muito. Mas não quero falar do meu pai. Fico melancólico quando falo do meu pai ou da minha mãe.

Comecei minha carreira roendo beirada de penico, o início para um advogado criminalista é fogo. Meu primeiro caso foi de falsificação de moeda. Eram três os acusados, o dono da gráfica,

o proprietário do imóvel onde a gráfica estava instalada e um funcionário. Cada um tinha o seu advogado, os dois primeiros contrataram os melhores advogados criminalistas da cidade. O empregado pé-rapado sobrou para mim, se ele tivesse dinheiro certamente não contrataria um advogado recém-formado. Todos se diziam inocentes, o dono da gráfica se fazia de vítima, dizendo que o empregado traíra a sua confiança, imprimindo as notas durante a noite, sem o seu conhecimento. O dono do imóvel, que segundo a polícia era quem se encarregava de passar as notas adiante, também dizia que fora enganado na sua confiança, que o dinheiro falso apreendido em seu poder fora recebido do dono da gráfica em pagamento do aluguel do imóvel. E eu defendia o meu cliente afirmando que o empregado não sabia que era dinheiro falso o que a gráfica imprimia durante a noite, seu patrão lhe dissera que o dinheiro impresso era material publicitário, que posteriormente seriam colocados desenhos e frases da firma que contratara os anúncios. Meu cliente tinha cara de burro e era muito burro, é possível que tivesse sido enganado pelo patrão, que escolhera aquele idiota sabendo que ele não perceberia o que estava acontecendo. Quando os três réus foram depor, notei que o juiz sentia pena do meu cliente, a sua estupidez era óbvia, e isso parecia eliminar a suspeita de que ele estivesse fingindo. Por outro lado, percebi também que o juiz não simpatizava com os outros dois. Enquanto meu cliente vestia-se como legítimo representante da classe D, os outros dois ostentavam joias nos dedos, gravatas de seda e sapatos de cromo alemão. Vi quando o juiz olhou os sapatos de um deles, que cruzara as pernas. O dono da gráfica disse que havia algum tempo suspeitava da honestidade do empregado, que, certa ocasião, roubara uma ferramenta da oficina. Quando perguntado por que não dera queixa à polícia, o patrão respondeu, fingindo comiseração, que o empregado era um pobre-diabo analfabeto que não tinha onde cair morto e ele, patrão, ficara com pena. Resumindo a história. Meu cliente foi o único absolvido, os outros sofreram pena severa de reclusão. É preciso dizer que as minhas alegações finais de defesa foram uma peça literária e jurídica perfeita. Os outros dois causídicos, mestres famosos, me disseram que eu tinha um futuro brilhante como advogado criminalista. Dentro de uns vinte anos você será um advogado consagrado e terá muitos clientes ricos que vão lhe pagar muito bem pelos seus serviços, disseram, trinta no máximo, trinta anos no máximo. Fiquei pensando, puta que pariu, vou ter que esperar trinta anos para tirar o pé do lodo, e decidi, foda-se, vou abandonar essa profissão de merda.

Mas o meu pai não me deixou desistir. Ele ouviu a minha choradeira com atenção, calmamente, e no fim perguntou, posso falar um minuto? Na verdade ele não falou nem um minuto. Você não foi ser criminalista pelo dinheiro, ele disse, mas porque gosta de fazer isso. Qualquer outro trabalho vai te deixar infeliz.

Eu gostava de ouvi-lo conversar com o Weksler, nas raras vezes em que ele me visitava no escritório, eles eram da mesma geração, jovens numa época em que as rádios tocavam tangos sem parar. Meu pai dizia que no tempo dele todos os brasileiros sabiam dançar tango, todos conheciam as principais letras e a influência portenha era muito grande. Dava exemplos de palavras argentinas, na verdade gírias de Buenos Aires, algumas de origem italiana, que haviam sido adotadas por nós e incorporadas ao nosso idioma, como bacana. Meu pai era... bacana. Sofri muito com a sua morte, quase tanto quanto sofri com a morte da minha mãe. Sofri muito, mas não chorei. Lembro-me do meu pai dizendo que no tempo do avô dele a família do morto contratava carpideiras para chorarem no funeral. Quando estava muito doente, com uma grave cardiopatia que o deixou de cama, precisando de cuidados, contratou duas jovens enfermeiras, mas algum tempo depois as dispensou, talvez porque a presença feminina tornasse mais aguda a frustração que sentia, elas deviam lhe trazer lembranças de prazeres de que agora não podia mais desfrutar. Enfermeiro homem ele detestava. Então coloquei uma cama no seu quarto e fui morar com ele. Meu pai passava o dia e a noite acordado, quando ia para a cama ficava lendo e eu lhe pedia que parasse de ler, apaga a luz da cabeceira e vamos dormir, eu dizia, e ele respondia que não queria dormir e quando não estava lendo ficava de olhos abertos olhando para o teto ou para a janela. Fecha os olhos, eu pedia. Não fecho, não posso fechar os olhos, se fechar os olhos eu morro. A luz da cabeceira permanecia acesa, eu acordava no meio da noite, do meu sono agitado, e lá estava ele, de olhos abertos, olhando para o teto. Um dia notei que ele estava de olhos fechados e pensei, aliviado, afinal ele dormiu, e apaguei a luz da cabeceira. Quando acordei, pela manhã, ele estava morto. Parecia ter um leve sorriso nos seus lábios finos, creio que morreu tendo um sonho bom. Não me lembro quantos dias durou aquela agonia.

Eu estava em meio a essas recordações quando Luma disse pelo interfone que Raul queria falar comigo sobre uma mulher assassinada. Uma faxineira encontrara o corpo na cama, completamente despido, mostrando sinais de estrangulamento. Na mesinha de cabeceira havia uma garrafa de Coca-Cola, um livro e um caderninho de endereços. Estupro? Ainda não tenho o resultado da perícia, a morta era uma bibliotecária de nome Eunice Valverde, que vivia em casa com um gato para lhe fazer companhia.

Igual a Angélica, pensei. Engraçado, eu disse, todas as mulheres que moram sozinhas têm um gato. O gato é a melhor companhia para a mulher solitária, disse Raul, o único problema é que o gato de Eunice Valverde, que se chamava Gabriel, um daqueles bonitos gatos ruivos, provavelmente assistiu ao assassinato da dona sem intervir, ao contrário do que faria um cão. Ou porque o gato não entendeu bem o que estava acontecendo, o que acho improvável, ou porque em seu solipsismo felino aquilo não tinha importância, porque não estava acontecendo com ele. Alguém disse que o gato, ao contrário do cachorro, olha um assassino com uma faca sangrenta na mão com a mesma curiosidade com que olha uma velhinha com um rosário entre os dedos. Roubaram alguma coisa? Raul disse que a sua mulher, Lucinha, tinha um gato, ela morre de medo só de ver um rato, tem ocasiões em que acho que gosta mais de fazer carícias no gato do que em mim. Mas nós estamos aqui brincando e eu não te contei ainda o mais interessante de tudo nesse caso.

Então conta, eu disse.

No caderninho de endereços, um dos nomes anotados era o de Carlos Waise. E qual era o livro sobre a mesinha de cabeceira – romance, poesia, história?, perguntei. Sei lá, ele respondeu, levamos para a delegacia para ver se tinha impressões digitais. Estou indo ao Instituto Médico Legal ver a necropsia da Valverde. Quer ir comigo?

O corpo nu de Eunice Valverde estava estendido numa cama de metal do necrotério. Parecia uma boneca de pano, com os pelos pubianos fazendo um tufo castanho, aréolas e bicos dos seios de um cinza-claro. As sufusões hemorrágicas causadas pela saída de sangue dos vasos para os tecidos circundantes eram visíveis na garganta. A hipostasia, ou livor cadavérico, começava a dar uma cor violácea à pele. A personagem mais importante na investigação de um crime é a vítima. Ela tem sempre uma história para contar.

Senti uma enorme ternura por Eunice. Ou era pena? Ou era horror, por vê-la ali prestes a ser retalhada como uma posta de carne num açougue? O legista, um homem magro de aparência frágil, tratou Raul como a um velho conhecido. Fiz apenas o exame externo, ele disse num tom baixo de voz que mal se ouvia. Colhi secreções na vagina, no nariz e na boca, material para os exames de laboratório, inclusive DNA. Vão demorar algum tempo para serem concluídos.

O legista contemplou o corpo de Eunice Valverde durante algum tempo. A rigidez cadavérica indica que a morte ocorreu há quarenta horas, mais ou menos. Vocês sabem, o exame externo é muito importante, são muitos os sinais apresentados a olho nu. Submetida a esganação, a vítima oferece sempre um período de resistência, seguido da perda dos sentidos e convulsões a que sucede a morte. Curvou-se sobre o rosto da morta, como se fosse beijá-la. Podemos observar estas petéquias disformes na face, e aqui, disse o legista arreganhando a pálpebra de maneira a mostrar todo o globo ocular, essa saliência exagerada do olho, essa dilatação da pupila, estão vendo?

Eu e Raul contemplamos o olho da morta, esbugalhado pelo legista. Era castanho-claro, na verdade cor de mel. Notei nitidamente, no centro da íris, a pupila, que os antigos chamavam de menina do olho. Esta cianose da face, continuou o legista, está relacionada com a intensidade da constrição dos vasos do pescoço.

O autor ou autora usou muita força, até mesmo desnecessária, prosseguiu. Vamos ver na inspeção interna. O legista fez uma incisão no pescoço da morta. Estão vendo?, fraturas do osso hioide, essa espuma sanguinolenta na traqueia, típico de esganadura violenta. Mas, mesmo tendo essa indicação clara, terei que fazer uma necropsia total.

Abriu as pernas da mulher, examinou a vagina, os grandes e os pequenos lábios, e enfiou no canal vaginal o dedo indicador da mão direita. Ela não sofreu violência sexual. O legista ficou algum tempo pensativo, com uma fisionomia sonhadora, mantendo o dedo no orifício vaginal da morta. Mas logo saiu do seu devaneio. Vou usar a técnica de Rokitansky, na qual os órgãos internos são retirados isoladamente, após terem sido examinados.

Olhou-me, como se tentasse ver as minhas reações, sabia que o Raul era puta velha, era a mim que ele queria impressionar falando difícil e cortando tecidos orgânicos e quebrando ossos do corpo morto à sua frente. Então virou a morta de bruços e fez uma incisão na cabeça dela, começando atrás da borda inferior da orelha direita e se estendendo pela convexidade do crânio até a borda inferior da orelha esquerda. Em seguida, com um som áspero, o couro cabeludo foi descolado do crânio, que surgiu branco e liso como um ovo. O legista perdera o seu ar frágil, parecia dominado por uma força interna ao serrar a calota craniana, depois ao quebrar com o formão a tábua interna, ao cortar a dura-máter, nervos e artérias. Cuidadosamente, retirou o cérebro, contemplou-o em sua mão. Quando eu era pequeno, disse, quase encostando a massa encefálica no meu rosto, minha mãe me obrigava a comer miolo de vaca, ela acreditava que fazia bem à saúde, vocês eram obrigados a comer miolo de vaca?

Sem esperar resposta, pôs o cérebro num receptáculo e logo em seguida, após colocar o cadáver em decúbito dorsal, fez uma profunda incisão no corpo da morta, da garganta ao púbis. O interior do abdome surgiu, uma massa de formas viscosas ligadas entre si, de vários matizes. Agora vou fazer a costectomia, ele disse. Com uma espécie de tesoura grande começou a quebrar as costelas, e os ossos estalavam, e logo as vísceras todas, do pulmão aos intestinos, se revelaram com exuberante impudência. Ele examinava os órgãos antes de eviscerá-los.

Dá para notar a congestão visceral típica da morte por esganadura?, perguntou. O rosto do legista era o de um sujeito olhando uma flor, e ele foi dizendo os nomes e arrancando pulmões, coração, fígado, estômago, baço, pâncreas, útero, trompas, ovários, rins, bexiga. O rosto dele, então, passou a ser o de um açougueiro selecionando carnes em um açougue. Lembrei-me do meu professor de medicina legal na faculdade, de seu prazer enorme em fazer necropsias para ver a face lívida dos alunos. Na época eu precisava aguentar aquela merda até o fim, mas agora não.

Olha, pessoal, está tudo muito interessante, mas eu tenho coisas mais importantes para fazer, eu disse, saindo da sala.

Raul me seguiu. Ficamos sentados num boteco enquanto tomávamos um cafezinho. Lembra do nosso professor que também gostava de serrar crânios e segurar cérebros na mão? Além

de arrancar os cérebros dos mortos gostava de pesar, numa balança de precisão, seus órgãos – um coração, duzentos e vinte e cinco gramas.

Você acha que quando a gente engorda o coração engorda junto?, perguntou Raul. Mas não esperou resposta. O celular tocou e ele ficou ouvindo algum tempo. Em seguida desligou o celular e disse que na garrafa de Coca-Cola na mesinha de cabeceira da mulher assassinada haviam sido encontradas impressões digitais idênticas às de Carlos Waise nos arquivos da polícia, colhidas quando ele foi preso por tráfico de drogas. O livro só tinha impressões digitais da morta.

Tirou um papel do bolso. O título do livro é *Cronología de descripción de contenido: de como las bibliotecas pasaron de la conservación al acceso hace cuatro mil años*. Você querendo, eu lhe empresto antes de recolher ao depósito judicial. Respondi que sim.

Vamos lá na porra do hotel do anão, ele disse, levantando da mesa do boteco. Quando chegamos ao hotel, Raul mandou o porteiro abrir a porta do quarto onde Carlos se hospedava. O quarto tinha roupas no armário, não muitas, e no banheiro havia um sabonete, uma escova e um tubo de pasta de dentes. Num canto da sala havia halteres de vários tipos. Raul pegou um dos halteres e levantou-o, dobrando o braço. O puto fazia musculação, deu no pé correndo, você deve ter assustado ele.

Havia ainda uma mala grande. Raul abriu a mala. Que merda de ferramentas são estas? Vamos levar para a delegacia.

O INCUNÁBULO DE GUTENBERG

Um tira da Roubos e Furtos de nome Torres, a quem Raul pediu ajuda, entrou na sala. Examina o material desta mala, pediu Raul. Torres queria uma mesa larga, e havia uma na sala do escrivão. Fomos para lá. Torres abriu as malas e foi pegando as ferramentas, colocando-as sobre a mesa. Ferramenta pente para residências, ele disse, uma multilock para fechaduras, cadeados e travas, saca-trava, calibrador para medir a profundidade dos pinos de fechaduras tubulares, este conjunto abre qualquer carro importado, este é para carros nacionais, isto aqui é para fazer cópias de chaves especiais de quatro palhetões. Demorou algum tempo examinando a última ferramenta. Muito bom este perfil tetra para cofres. Esta maquineta para copiar chaves tetra é a mais recente que existe, o cara é profissional, está equipado para abrir qualquer fechadura, cadeado ou tranca. O indivíduo tem ficha?

Raul explicou que ele tinha ficha na polícia como traficante de drogas.

Opa!, disse Torres, tem uns diagramas aqui no fundo. Torres retirou os gráficos e examinou-os. São de um cofre Fichet, disse.

Na Biblioteca Nacional, onde Eunice trabalhava, as suas colegas ouvidas por Raul disseram que Eunice era uma funcionária exemplar, dedicada ao trabalho, discreta, nunca falava da sua vida particular, muito amável, todos gostavam dela e estavam muito chocados com o que acontecera. Raul sabia que as pessoas discretas precisam mais de uma pessoa amiga para contar segredos do que as que contam tudo para todo mundo, ele era um tira persistente e acabou descobrindo a confidente de Eunice Valverde, uma colega, Marlene, que lhe contou que Eunice ultimamente estava muito feliz, arranjara um namorado pelo qual estava apaixonada, o primeiro namorado de sua vida, e que Eunice, que sempre se sentira muito feia, estava se achando bonita e dizia que aprendera, com o namorado, a gostar de si mesma.

Raul perguntou se Marlene sabia o nome desse namorado, mas Marlene respondeu que Eunice Valverde mantinha o nome em segredo, apenas dissera que iam se casar e passar a lua de mel em Paris. Raul deixou seu cartão com os telefones da delegacia, pedindo que ela lhe telefonasse caso tivesse alguma informação nova.

Fora estabelecida uma relação entre Carlos Waise e Eunice Valverde, as impressões digitais dele estavam na garrafa, no quarto da morta. Mas logo Johann (ou Johannes) Gutenberg e o cofre Fichet foram incluídos nessa conexão: uma das Bíblias da Mogúncia, em dois volumes, havia desaparecido do cofre Fichet da Biblioteca Nacional, onde estava sendo guardada.

A vida de Gutenberg é cheia de mistérios. Não sabemos a data exata do seu nascimento, em Mainz (Mogúncia, na forma portuguesa), na Alemanha, nem o seu nome, provavelmente Henne Gänsfleisch zur Laden. Consta que se exilou em Estrasburgo por motivos políticos e foi processado por quebra de promessa de casamento por uma jovem dessa cidade. Conhecemos poucos episódios da sua existência. Parece que no fim da vida morava na corte do arcebispo Adolfo de Nassau, recebendo um subsídio para se sustentar. Provavelmente morreu em Mainz, não se sabe ao certo com que idade, certamente mais de sessenta e menos de setenta anos, e talvez tenha sido enterrado, como terciário, numa igreja franciscana que não existe mais. Nada podemos falar sobre sua personalidade, e até mesmo a data e o local da sua invenção – a imprensa –, considerada um dos maiores acontecimentos da história universal. Sabemos com certeza que adotou o nome de Johann Gutenberg.

Hoje existem, em todo o mundo, poucos exemplares, algumas dezenas apenas, das primeiras Bíblias impressas pela máquina inventada por Gutenberg, duas delas no Rio de Janeiro. Quando dom João VI fugiu de Portugal devido à invasão francesa, o regente português trouxe com ele a Biblioteca Real do seu país, milhares de documentos, mapas, livros e, entre esses, duas Bíblias da Mogúncia, incunábulos feitos na prensa de Gutenberg. O valor que elas atingiram no mercado, com o passar dos anos, foi imenso. Consta que uma universidade americana ofereceu pagar os custos da construção de uma grande e moderna biblioteca na cidade em troca de uma das Bíblias. Mas, como acontece na história de Johann Gutenberg, também isso pode não ser verdade.

O INCUNÁBULO DE PELE DA CABRITILHA

Weksler me procurou dizendo que Raul telefonara para dizer que obtivera, na Antique, o nome completo do Caveirinha, Raimundo Nonato Souza. Preso há tempo por falsificação de moeda. Tinha toda a aparelhagem no porão de sua casa, falsificava notas de dez perfeitas, coisa de pé de chinelo, mas era um craque, podia falsificar dólar, se quisesse. Acho que ele passava as notas ajudado pela sua mulher, mas Caveirinha nunca admitiu isso nos interrogatórios na polícia. A pena é de reclusão de dois a seis anos. Pegou quatro mais uma multa que o obrigou a vender o automóvel, o único bem que possuíam – a casa era alugada –, cumpriu dois anos de prisão, obteve liberdade condicional por bom comportamento. Certamente não era um vigarista ambicioso, falsificar notas de dez dava apenas para a mulher dele fazer compras no supermercado.

Raul dissera ainda que seu colega da Delegacia de Roubos e Furtos, instado por ele, conseguira mandado de busca e apreensão na Antique.

O delegado da Roubos e Furtos, acompanhado de Raul, um escrivão e vários tiras, entre eles Walter, inspetor da Interpol, invadiu a Livraria Antique. A Interpol estava procurando uma quadrilha de receptadores com ramificações internacionais que comprava livros roubados em várias partes do mundo, obras que pela notoriedade eram muito difíceis de colocar no mercado europeu e por isso agora estavam sendo vendidas na Ásia, principalmente, e também na América do Sul. Os policiais passaram o dia inteiro na Antique procurando e nada encontraram. Já iam retirar-se quando um tira mais curioso começou a bater nas paredes de lambri do escritório de Ledoux, até que ouviu um som diferente. Era uma parede falsa, atrás da qual estava oculto um grande cofre. Pierre Ledoux alegou que o cofre estava vazio e além do mais ele havia perdido a chave. Raul pegou o celular e fez uma ligação, na verdade para ninguém, pedindo que mandassem uma equipe da delegacia para arrombar um cofre-forte. Ledoux achou a chave. Quando abriram o cofre não encontraram a Bíblia da Mogúncia. Mas acharam outras peças valiosas. Com exceção de dez in-fólios, roubados da Biblioteca do Museu Nacional, um deles escrito em latim por Hans Staden em 1594, todas as outras peças haviam sido furtadas de museus ou bibliotecas do exterior e foram identificadas pelo inspetor Walter. Os livros apreendidos eram dois exemplares da primeira edição do *Gulliver's Travels*, roubados à mão armada em 1999, na cidade de Armagh, na Irlanda do Norte; um manuscrito chinês do ano 960, do período Song, roubado da biblioteca da Universidade de Harvard, nos Estados Unidos; uma primeira edição do *Christmas Carol*, de Dickens, roubada do Dickens House Museum, de Londres; o *Livro de horas*, um dos menos importantes da coleção original do duque de Berry, mas mesmo assim valiosíssimo, seu preço num leilão atingiria a cifra de muitos milhões de euros; um in-fólio da obra de Shakespeare publicado em 1626, roubado da Biblioteca de Durham em 1998, avaliado em um milhão de libras; uma Bíblia de Vizsoly publicada em 1590, o livro mais raro da Hungria, cujo desaparecimento foi considerado uma perda nacional irreparável; e, finalmente, um incunábulo do século XIV, encadernado em pele de cabritilha, roubado do Museu de Chillán, no Chile.

Walter prendeu em flagrante o dono da Antique. Ao interrogar Ledoux, garantiu-lhe que o juiz seria mais leniente caso ele colaborasse dizendo o nome das pessoas que compravam os livros raros roubados. Pierre Ledoux disse que não podia trair a confiança dos seus clientes. Durante o interrogatório, Ledoux sofreu uma vertigem e tiveram que chamar um médico para socorrê-lo.

Eu estava em casa quando o Raul me telefonou perguntando se eu gostaria de ver os livros apreendidos na Antique antes de serem transferidos para o depósito judicial. Falei com o Walter sobre isso e ele concordou. Ledoux vai ser indiciado pelo crime de receptação dolosa.

Vi todos os livros. O que eu achei mais bonito foi o *Livro de horas*, com seu formato de bolso, as belas iluminuras de cores vivas e seus desenhos religiosos deslumbrantes. Esse tipo de livro, informei-me depois, começou a ser produzido na Idade Média, de maneira a tornar acessíveis certos elementos dos breviários utilizados pelos padres, sempre com um calendário elaborado exclusivamente em função das festas religiosas, seguido de inúmeras preces, compostas em sua maioria de salmos. Formatos e quantidade de ilustrações variam, mas o que eu tinha na mão possuía ilustrações em todas as páginas. Os livros eram um símbolo de riqueza, muitos tinham valor maior que o das grandes propriedades dos nobres. Porém, o mais famoso e valioso livro de horas, como Walter disse, era *Les Très riches heures du duc de Berry*, que pertencera ao duque de Berry (1340-1416), filho, irmão e tio de reis da França, conhecido como o Príncipe dos Bibliófilos. Conhecedor e apreciador das artes, imensamente rico, o duque de Berry possuía uma grande coleção de obras artísticas, principalmente livros, e os de sua preferência eram aqueles com iluminuras, como os seus quinze *Livros de horas*, catorze Bíblias, dezesseis saltérios, dezoito breviários, seis missais. O duque colecionava ainda castelos, rubis e avestruzes.

Dois dias depois recebi um telefonema de pessoa que não se identificou dizendo que Pierre Ledoux pedia que eu fosse visitá-lo na sede da Interpol, onde estava transitoriamente. Ledoux apresentara um diploma de curso superior, o que lhe garantia prisão especial, e ainda não sabiam onde ficaria detido.

Quando cheguei à Interpol, fui recebido por Walter. Ele me saudou cordialmente. O francês quer o senhor como advogado. No caso dele eu faria o mesmo.

Quando entrei na sala onde Ledoux estava ele me reconheceu, eu fora a sua livraria com o Raul. Isso pareceu perturbá-lo. Eu estava pensando em contratá-lo para ser meu advogado, disse, usando várias vezes a bombinha contra asma, mas antes gostaria de lhe fazer uma pergunta. Ledoux queria saber o que eu fora fazer na sua livraria, acompanhado do policial de cujo nome ele não se lembrava. Expliquei que um cliente queria obter informações sobre o Carlos Waise, que trabalhava na livraria. Posso saber o nome do seu cliente? Respondi que não. Doutor Mandrake, seu nome me foi indicado pelo doutor Macedo Sobrinho, ele foi meu advogado num caso de imposto de renda, me garantiu que o senhor era o melhor criminalista da cidade. O senhor quer ser meu advogado? Hesitei. O nosso código de ética proíbe a aceitação subsequente de um cliente cujos interesses afetem os de outro já sendo patrocinado num pleito judicial. Mas Karin não tinha nenhuma questão em juízo e os interesses dela e os de Ledoux não eram conflituosos.

Afinal, respondi que sim, mas ele tinha que responder a algumas perguntas, principalmente uma, sobre a Bíblia da Mogúncia. O senhor teve algum envolvimento com esse furto?

Ledoux respondeu que não. E sobre as outras peças apreendidas em sua livraria? Ele apenas disse, eu não preciso responder, o senhor sabe. Para mim era o suficiente. É dever do advogado preservar as confidências do cliente, não podemos divulgar os seus segredos, mas mesmo assim às vezes é melhor não saber tudo. Essa é que é a nossa ética, há uma tendência de confundir ética com moral, mas na vida forense essas coisas não se misturam e quem disser o contrário é um hipócrita.

Ficamos conversando algum tempo, percebi que Ledoux era inteligente e culto. De que crime serei acusado? Expliquei-lhe o que era o crime de receptação conforme caracterizado no código penal. A pena era de reclusão, de um a quatro anos, e multa, mas a pena podia ser agravada se o agente vendeu no exercício de atividade comercial coisa que sabia ser produto de crime. Era o caso dele.

Depois de quase uma hora de conversa aceitei representá-lo em juízo. Eu já sabia a linha de defesa que ia utilizar. Minha secretária vai passar aqui com uma procuração para o senhor assinar.

Saímos juntos da Interpol, eu e o tira Walter. Olha, ele disse, o Raul está interessado principalmente em saber quem é o receptador, mas eu acredito ser mais importante descobrir quem cometeu o furto. Muitas vezes os ladrões não querem vender a obra, mas obter um resgate, casos em que nem mesmo existe um receptador. Isso aconteceu quando roubaram a *Mona Lisa*, em 1911; quando furtaram *O concerto*, do Vermeer, em 1990. O mesmo quando furtaram *O grito* do Munch – um dos quatro *Gritos* dele – em 1994 e depois em 2004. E o furto da *Madonna*, de Da Vinci? Em todas essas ocasiões, e em outras que agora não recordo, os ladrões pediram resgate. É difícil encontrar alguém para comprar uma obra de arte muito famosa. E sequestrar um quadro ou livro é mais fácil do que uma pessoa, não é necessário cativeiro com guardas, e o quadro ou livro não precisa ser alimentado, não foge e não identifica o criminoso, que se for apanhado pega uma pena menor. E o montante do resgate quase sempre é maior. Eu acredito que os ladrões da Bíblia da Mogúncia vão pedir um resgate por ela.

E não se esqueça de que muitas vezes, como ocorreu neste caso, alguém de dentro está envolvido. Lembra do caso dos manuscritos hebraicos antigos roubados da Biblioteca Nacional da França? O próprio responsável pelos manuscritos os havia furtado. Sabe quanto valiam? Centenas de milhares de dólares.

Chegando ao escritório, redigi um pedido de relaxamento da prisão preventiva de Pierre Ledoux, dizendo, em resumo, que o meu cliente tinha endereço certo e sabido, era um respeitável comerciante e devia ser processado em liberdade. Se adquirira bens furtados, não fora para fazer negócio ou obter qualquer proveito próprio.

Quando Luma me trouxe a procuração, entrei com a petição em juízo, que foi despachada favoravelmente.

Raul deve ter sido informado pelo pessoal da Interpol. Passou no meu escritório, entrou dizendo, então, o francês é teu cliente? Não sei como você conseguiu libertar o cara, o juiz da 7ª Vara é carne de pescoço.

Dei ao Raul um papel com os nomes dos sócios do Clube dos Bibliomaníacos, com exceção do nome de Karin. Gostaria que você investigasse estes nomes, são todos colecionadores de livros raros. Raul colocou o papel no bolso. Mandrake, eu vou ver isso, mas não sei como o juiz deixou Pierre Ledoux, esse receptador safado, se defender em liberdade. Protestei, não podemos admitir a culpa do nosso cliente, Ledoux não fazia, não faz e nunca fez negócios com coisas furtadas, a única vantagem que obtinha era totalmente subjetiva, artística, ele comprava os livros furtados sem indagar a sua origem, o que o motivava não era lucro, era o prazer de ter os livros, olhar para eles, você não entende disso, nem mesmo gosta de livros, como vai compreender a alma de um colecionador? Na verdade, o seu colega da Roubos e Furtos quando o enquadrou no crime de receptação dolosa cometeu um engano, e o promotor manteve o erro denunciando meu cliente nos mesmos termos. O juiz da 7ª pode ser carne de pescoço, mas é justo. Além de tudo ele é um velho doente, quando você o interrogou na delegacia, ele teve uma vertigem. Você achou a porra da Bíblia na loja dele? No cofre que você o forçou a abrir mediante ameaças aterrorizantes? E que interesse ele poderia ter na morte da mulher? Raul respondeu que Eunice era cúmplice e ia dar com a língua nos dentes.

Raul, você está estressado, está mesmo na hora de se aposentar e ir criar rãs.

Foda-se, ele disse, saindo do meu escritório. Mas ele sabia que eu estava fazendo uma mímica e eu sabia que ele fazia o mesmo. Ele era meu melhor amigo, fomos estudantes juntos, desde o primário até a faculdade de direito.

Dona Neide chegou logo em seguida. Como sempre, precisava muito falar comigo. Eu avisei a dona Neide que o senhor ia passar aqui muito rapidamente para apanhar uns papéis, Luma disse apressada, enquanto abria os dois braços num gesto de impotência. Mandei dona Neide entrar.

Ela sentou-se e disse que queria me contar o sonho que tivera. No sonho, o homem que sofrera o atropelamento olhava para ela, exatamente como fizera no dia do acidente, mas no sonho ele dizia que a perdoava. Doutor Mandrake, eu daria a minha vida para esquecer aquele dia horrível, ele olhando para mim, caído na rua como um cão.

Dona Neide começou a soluçar, com o rosto entre as mãos. Pelo interfone, pedi que Luma trouxesse água e uns lenços de papel. Dona Neide tomou a água, assoou o nariz, limpou as lágrimas do rosto. Depois de respirar fundo, recomeçou sua história. Naquela hora em que o infeliz olhou para mim caído no meio da rua, eu achei que ele estava me condenando, com aquele último olhar, ah!, aquele olhar tão triste. Mas, doutor Mandrake, o senhor não acha que podia ser o contrário, em vez de condenar ele estava me perdoando?

Tive vontade de dizer que o olhar da vítima era o olhar perplexo de um velho surdo – felizmente, para nós, ele era surdo – tentando entender o que estava dizendo uma mulher desesperada, debruçada sobre ele. Acho que sim, ele estava perdoando a senhora. Conte isso para o seu analista. Ele é a pessoa certa para ouvir os seus sonhos. Dona Neide disse que havia contado, estava vindo do analista naquele momento e, como sempre, ele ouvira e não dissera nada. Por isso achei que devia contar para o senhor também. Doutor Mandrake, o senhor acha que eu vou ser absolvida?

Respondi que estava trabalhando nesse sentido. Na pior hipótese, ela teria a suspensão condicional da pena ou, quando muito, seria condenada a prestar serviços comunitários. Dona Neide começou a tirar coisas da bolsa, eu sabia que ia demorar, disse que agora estava tomando um remédio muito bom, que a sua psiquiatra lhe dera, mas sem o seu analista saber, ele não queria que ela tomasse remédios. Dona Neide abriu a bolsa, queria me mostrar a bula do remédio. Afaguei de leve o ombro dela dizendo que tinha de sair, que ela mostrasse para a Luma, que gostava de ler bula de remédio.

Quando cheguei à casa de Angélica havia um monte de jornais espalhados pela mesa da sala. Tirei o paletó e sentei no sofá. Angélica sentou-se ao meu lado. Velha e feia, não é?, perguntou. Não sei do que você está falando, respondi. Mandrake, não gosto quando você se faz de bobo, estou falando da tal mulher que ligou de madrugada aqui para casa.

Resumindo o drama. Ela havia visto uma foto de Karin Altolaguirre numa revista, linda, de roupa a rigor, um vestido comprido, justo, que modelava seu corpo esguio, a foto devia ter sido tirada numa festa, com um texto que dizia que Karin era de uma família rica, solteira e amante das artes. Por que você mentiu para mim? Então você agora é ciumenta, hein?, eu disse em tom jocoso. Não gosto que mintam para mim, principalmente o meu namorado.

Angélica levantou-se abruptamente do sofá, foi para o quarto e fechou a porta com força.

Por que menti quando Angélica perguntou se Karin era bonita? Antigamente eu teria respondido alguma coisa como essa dona não é o meu tipo, o meu tipo é você. Que diabo estava acontecendo comigo? Fiquei um longo tempo sentado na sala, pensei em Angélica, pensei em Karin, pensei em Carlos, pensei no corpo espostejado de Eunice, pensei no Caveirinha, até na dona Neide pensei.

Como Angélica se recusava a abrir a porta do quarto, fui dormir na minha casa.

CASO SOLUCIONADO

O pensamento de Pascal que me vem à mente neste momento não é aquele, o coração tem razões que a própria razão desconhece, mas um que eu não sei de cor, é muito comprido. Ele diz algo assim: nada é tão intolerável para um homem quanto um estado de completo descanso, sem paixões; então ele sente solidão, desamparo, vazio.

Minha paixão por Angélica tinha acabado? Como minha paixão por Berta e as outras todas também tinha acabado? Sim, eu amava Angélica, era uma mulher extraordinária, mas não sentia mais paixão por ela. Eu estava vazio.

Esses pensamentos soturnos foram interrompidos por um telefonema de Raul. O caso está resolvido, ele disse, já sabemos quem é o assassino, mas por enquanto não vamos noticiar nada para não alertar o criminoso.

Estava tudo na cara, disse Raul, enquanto comíamos uma caldeirada de frutos do mar acompanhada por um tinto português. Quando penso que foi preciso a Marlene telefonar, puta merda, para eu descobrir uma coisa óbvia. Que Marlene? A bibliotecária colega de Eunice Valverde, ela me telefonou e disse que tinha que me contar uma coisa. Sabe que coisa foi essa? Que o namorado de Eunice era o anão e que na véspera do sumiço da Bíblia Eunice estava muito nervosa, falava confusamente, disse que ia fazer uma loucura, que ia casar com o Carlos, que ia fugir para Paris. Eunice tinha acesso à chave do cofre Fichet, só não sabemos ainda, continuou, como tiraram os volumes de lá, como passaram pela segurança. O noivado, a promessa de casamento com lua de mel em Paris, era tudo uma armação astuta do anão para conseguir a cumplicidade da mulher. Depois ela se tornou descartável.

Raul culpava Ledoux, a quem chamava de puto francês receptador, de ter desviado a sua atenção. De qualquer forma, disse Raul, estou aliviado, é uma questão de tempo botarmos a mão no anão.

Raul podia estar aliviado, mas alguma coisa que eu não sabia o que era me incomodava. Mandei o regime às favas, disse Raul, pedindo de novo toucinho do céu como sobremesa, criei uma teoria, o medo de engordar engorda mais do que uma dieta rica em carboidratos e gorduras.

Pedi outro Periquita e ficamos calados. Eu pensava: como é que o sujeito se apaixona? Não é de repente porra nenhuma, o pobre-diabo quando muito descobre de repente que está apaixonado, um sentimento que veio crescendo lentamente dentro dele, às vezes sem que percebesse, até deixá-lo incendiado, como ocorre com as fogueiras da floresta que surgem de uma faísca da ferradura de um cavalo raspando numa pedra. Foi assim com todas as paixões que eu tive. E não eram tesões coup de foudre, descargas elétricas instantâneas, evanescentes, que motivam o sujeito a apenas levar a dona pra cama e dar uma trepada. Era amor.

A Angélica brigou comigo. Por ciúmes, eu disse.

Ih, caralho, a minha também brigou comigo. Posso te contar a história?, perguntou Raul.

A história que Raul me contou era pífia, mas de certa forma me distraiu. Lembra daquela jovem promotora do caso Garcia, o estelionatário? Muito bem, acabou rolando um troço entre nós, e combinamos um encontro à noite para irmos a um motel. Depois do trabalho, antes de ir para casa trocar de roupa, passei na farmácia e comprei seis camisinhas. A mulher é um espetáculo. Enfim, cheguei em casa e disse para Lucinha que tinha um encontro à noite com o chefe de polícia. Estava no carro indo pegar a bela promotora, quando verifiquei que tinha deixado as camisas de vênus no outro terno. Pensei, a Lucinha tem a mania de colocar os ternos que usei no armário, pode achar aquela merda. Tinha que decidir, voltar para casa e tirar as camisinhas do terno que eu usara, antes que Lucinha as descobrisse, ou contar com a sorte a meu favor, ou seja, que Lucinha não encontrasse as camisinhas, e ir pegar a promotora, que me esperava numa esquina e que certamente não ficaria me aguardando indefinidamente. Mas talvez pudesse fazer tudo isso, apanhar as camisinhas e chegar a tempo para encontrar a promotora. Corri pelas ruas como um alucinando, furei todos os sinais vermelhos de trânsito. Acho que vou tomar mais um gole deste Periquita. Raul encheu o copo de vinho e deu uma grande golada.

Chegou a tempo?

Calma. Entrei em casa esbaforido. Lucinha estava em pé na sala, ouvira o barulho da chave na fechadura da porta de entrada. Tentando ocultar o nervosismo, falei, esqueci um documento importante. Ela perguntou, foi isto aqui? Nas mãos, Lucinha exibia o envelope com as seis camisinhas. Eu devia saber, ela disse, que um sujeito que quer criar rãs em vez de criar gatos não pode ter bom caráter. E me botou para fora de casa. Estou morando num hotelzinho.

Antes de se retirar, Raul disse que andava meio sem grana e perguntou se podia morar comigo por uns tempos. Respondi que não era possível. Não vou morar com um homem na minha casa, nem que seja um velho e querido amigo. Eu entendo, disse Raul, também sou assim, odeio homem. Ah, já ia me esquecendo, ele disse, abrindo a pasta e tirando um livro, tenho uma coisa para você. Era a *Cronología de descripción de contenido: de como las bibliotecas pasaron de la conservación al acceso hace cuatro mil años*! A estante da casa de Eunice estava cheia de livros daquele tipo, ligados à biblioteconomia. Devia ser boa funcionária, ele disse.

Fiquei no restaurante lendo o livro e bebendo. Tinha poucas páginas e era de autoria de Ana M. Martinez. Começava no ano 2000 a.C. falando da antiga Suméria (hoje Iraque) durante a terceira dinastia de Ur, quando se compilou o primeiro catálogo de biblioteca, escrito sobre um tablete de argila em letras cuneiformes, ordenando as várias obras literárias mediante o incipit, ou primeira linha do texto. O parágrafo inicial prendeu minha atenção. Li atentamente as informações sobre o período babilônico, sobre Calímaco de Cirene, o bibliotecário mais famoso de Alexandria, que conseguiu compilar um catálogo num material chamado pinakes, ou tábuas, com registros correspondentes a mais de cento e vinte mil rolos de papiro, obedecendo à classificação do conhecimento segundo Aristóteles, incluindo, entre outras categorias, a matemática, a filologia, a geometria, a astronomia e a medicina.

Eunice Valverde não tinha na sua estante um único best-seller, só livros ligados ao seu trabalho, deve estar no céu, pensei, as bibliotecárias quando morrem vão para o céu. Não sei por quê, pensei também em Angélica, ela gostaria de ler aquele livro.

Eu tinha que salvar a minha relação com Angélica. Ela era uma boa mulher. Que horror, definir a mulher que você ama dessa maneira, uma mulher de bom coração. As pessoas de bom coração são as que mais merecem ser amadas, mas ninguém é amado só por isso. O que fazer? Viajar com ela. Ela sempre quis ir à Disney, eu odeio a ideia de ir à Disney, não sei como alguém tem estômago para isso, mas eu estava disposto a ir com Angélica, abraçaria um sujeito vestido de Mickey Mouse, outro vestido de Pluto, tiraria retrato com o Pateta, andaria nos trenzinhos, nos brinquedos, comeria pipoca e algodão-doce.

Acabei a garrafa de vinho e paguei a conta, decidido a ir diretamente a uma companhia de turismo, comprar as passagens, e depois ir à casa de Angélica, querida, vamos para a Disney, e lhe daria as passagens dizendo, marca o dia que você quiser.

Mas em vez disso fui para o escritório. Ao chegar, dona Neide estava me esperando na sala de Luma. Sorriu, feliz, ao me ver. Luma fez uma careta de resignação. Vamos entrar, eu disse.

A senhora sabe o que tem de dizer ao juiz, não sabe? Que o seu Raimundo, a vítima, de maneira temerária atravessou subitamente a rua e a senhora não conseguiu frear o carro e evitar o atropelamento. Que em seguida a senhora parou o carro para socorrê-lo. Não se esqueça de que a senhora estava andando abaixo da velocidade permitida.

Não foi exatamente assim, respondeu dona Neide, eu estava distraída falando no celular, não vi o infeliz, não freei o carro, mas parei para socorrê-lo, isso sim, e vi em seu rosto aquele último olhar, que não sei se era de condenação ou de perdão.

Dona Neide, vou repetir, esquece esse maldito celular, por favor. A senhora já o esmigalhou com um martelo, pronto, agora não se fala mais nele, ele não existe mais. Quando for interrogada pelo juiz a senhora dirá, vou repetir mais uma vez, que o seu Raimundo foi muito imprudente, atravessou a rua na frente do seu carro e a senhora não conseguiu evitar o acidente. Dirá que parou o carro para socorrer a vítima e que alguém, um transeunte qualquer, telefonou pedindo socorro médico. A senhora não está dizendo nenhuma mentira, quando muito está omitindo uma informação. Além do mais, o seu Raimundo era surdo, não adiantava a senhora buzinar. Dona Neide, vê se entende, por favor, eu tenho que provar que a senhora não deu causa àquele resultado, o atropelamento do senhor Raimundo, nem assumiu o risco de produzi-lo por imprudência, imperícia ou negligência. Entendeu? A senhora não cometeu nenhum crime.

Fiquei um tempo enorme ensaiando com ela. Pouco depois que dona Neide saiu, Luma, pelo interfone, disse que um senhor Carlos Waise queria falar comigo. Devia ser alguma brincadeira besta do Raul. Atendi. Gostaria de conversar com o senhor, doutor, disse a voz do outro lado, que não era a do Raul. Passa aqui no escritório, respondi.

Estava escrevendo uma petição quando Luma entrou na sala. O senhor Carlos Waise chegou, ela disse. Aproximou-se da minha mesa. É um anão, ela sussurrou.

Eu sei, Luma, manda ele entrar.

Carlos entrou, constrangido, seu rosto exibia certo desespero. Sente-se, por favor. Ele sentou-se. Suas pernas não tocavam o chão.

A polícia acha que eu assassinei a Eunice. Eu, assassinar Eunice? Eles estão loucos? A única mulher que eu amei em toda a minha vida? A única mulher que não me tratava com desprezo? Que tinha por mim amor e carinho e que me olhava sem ver um anão, mas um homem? Uma mulher alta, bonita, na rua todos os homens olhavam para ela, eu morria de ciúmes. Carlos levantou-se, andou pela sala respirando fundo, como se fosse ter um ataque cardíaco.

Sente-se, senhor Carlos. Ele voltou a sentar-se. Estava chorando. Desviei o meu olhar do seu rosto, sem coragem de testemunhar aquele desnudamento, o rosto contorcido coberto de lágrimas daquele anão infeliz. Demorou algum tempo para que ele se controlasse. O senhor podia ser o meu advogado?, perguntou. Enxugara os olhos, mas seu semblante continuava cheio de sofrimento.

Primeiro Ledoux, agora o anão, pensei. Fui até a janela, gostaria que quem estivesse comigo fosse o saltitante passarinho verde. Eu podia aceitar três clientes envolvidos no mesmo problema, ainda que não houvesse conflito de interesses? Em nossa profissão temos de tomar decisões que muitas vezes incluem riscos, incertezas, não apenas de natureza ética, mas também moral, coisas que, misturadas, em nosso ofício, nunca dão certo. Ninguém gosta de advogado, o cliente só gosta de nós quando quer escapar da cadeia ou ganhar algum bem ou vantagem, depois nos detesta, por isso existem tantas piadas contra os advogados. Talvez a mais velha que eu conheça seja aquela contada por Shakespeare em uma das suas tragédias históricas. O integrante de um partido sedicioso que assume o poder pergunta para outro: E agora? O que vamos fazer? E o outro responde: Primeiro vamos matar todos os advogados.

Voltei a sentar-me. Carlos Waise me olhava ansioso. Aceito ser seu advogado, eu disse afinal, mas o senhor terá que me dizer a verdade. Em primeiro lugar, quem é o Raimundo, vulgo Caveirinha? Ele trabalhava comigo na Antique, respondeu Waise. Você tem visto ele? Não, senhor. Não minta, porra, assim eu não posso ajudá-lo. O Caveirinha me telefonou para dizer que o senhor havia estado na livraria procurando por mim. Marcamos um encontro, mas ele não apareceu, acho que foi para Fortaleza, ele é cearense, tem parentes lá. Caveirinha está envolvido com o furto da Bíblia? Não, ele tem medo da polícia, já esteve preso. Caveirinha não sabe de nada, apenas que eu fazia negócio com livros roubados, mas ele não queria se envolver, ele sofreu muito com a prisão e o suicídio da mulher dele. A ideia de roubar a Bíblia não foi minha, mas também não foi de Eunice, ela jamais pensaria numa coisa dessas, era uma santa, adorava o seu trabalho e cuidava dos livros com amor, eu sou um crápula, convenci Eunice a participar do maldito plano dizendo que com o dinheiro iríamos passar a lua de mel em Paris, Paris não saía da nossa imaginação, víamos os lugares num livro, a Notre Dame, o rio Sena com suas pontes, a torre Eiffel. Às vezes eu sonho com a torre Eiffel, eu estou olhando para ela e a sua altura parece não ter fim, ela parece penetrar no céu.

Fascínio de um anão pelas coisas altas? Arranha-céus, gigantes, torre Eiffel. Carlos levantou-se novamente da cadeira e foi até a janela, como se fosse se atirar na rua. Mas a janela estava fechada. Senhor Carlos, eu disse, descanse um pouco, eu não estou com pressa. Conte a sua história com calma. Eunice queria que devolvêssemos os livros, ele disse, com voz embargada, ela era muito devotada à sua profissão, como são todas as bibliotecárias, todas gostam mais dos livros do que dos filhos, e Eunice me disse, esquece Paris, nós não precisamos disso, temos o nosso amor. Ela era uma santa mulher.

Ele se repetia. Pedi, pelo interfone, que Luma trouxesse um copo com água.

Carlos bebeu a água. Desculpe, doutor, sou um homem desesperado. Esperei, mais uma vez, ele se acalmar. Eu sabia que o cofre Fichet, onde estavam os dois volumes da Bíblia, não tinha segredo, era trancado apenas com a chave tetra. Pedi a Eunice para apanhar a chave, no fim do expediente, era comum ela sair mais tarde, quando todos já haviam ido embora.

E depois?

Fiz uma cópia da chave naquela noite e na manhã seguinte Eunice, que sempre chegava antes das outras, colocou a chave de volta no local onde ficava sempre. De que maneira esses dois volumes grossos e pesados foram retirados do edifício? Eunice colocou os livros num saco preto de lixo, no meio de jornais velhos amassados. A segurança só olha para os sacos pretos de lixo que saem, sem examiná-los. Um velho funcionário da limpeza ajudou. É um infeliz, cheio de filhos pequenos. A mulher dele está morrendo de câncer.

Carlos enxugou os olhos com a manga da camisa.

Continuei calado, como o psicanalista da dona Neide. Depois perguntei se Karin estava de alguma maneira envolvida com o furto da Bíblia e ele respondeu que não. Carlos bebeu mais um pouco de água e disse que prometera a Eunice devolver os livros e que ela ficara muito feliz. Na véspera do dia em que Eunice foi morta, Carlos estivera na casa dela e disse que ia pedir o livro de volta e entregar à polícia. Carlos acrescentou que quem planejara o roubo da Bíblia sabia que Eunice o ajudara, perguntara várias vezes se ela era confiável, se não ia dar com a língua nos dentes. Como é o nome dele? Não posso lhe dizer, doutor, por enquanto não, depois o senhor vai ver que eu tenho razão. Eu tenho um plano. Qual é esse plano?, perguntei. Não posso lhe dizer, mas a Bíblia vai voltar para a Biblioteca Nacional, garanto.

O anão era teimoso, quanto mais eu insistia para ele me revelar seu plano, mais irredutível ele ficava.

Quando foi a última vez em que você viu a Eunice? Na véspera de ela ser assassinada fui vê-la e lhe disse que ficasse tranquila, que a Bíblia seria devolvida, que ela não seria responsabilizada pelo furto. Eunice começou a passar mal, ela tinha asma, quando ficava nervosa sofria crises que faziam sua respiração ficar sibilante, coitadinha. Preparei uma inalação para ela e coloquei-a na cama, esperei ela dormir e saí.

Acreditei nele. Eu sentia pena daquele infeliz. Você tomou uma Coca-Cola no quarto? Tomei, sou viciado em Coca-Cola, Carlos Waise respondeu, sou um ladrão nojento, causei a morte de Eunice com aquela conversa de passar a lua de mel em Paris. Eu disse a Carlos que seria o seu patrono naquela causa, que não sabia o que poderia acontecer, mas que, certamente, o fato de ele ter decidido devolver a Bíblia e colaborar com a prisão do receptador e assassino seria levado em conta pelo juiz do seu caso. Levei-o à sala de Luma. Ela preparou uma procuração com plenos poderes, que Carlos assinou.

Notando o seu nervosismo, e querendo conversar mais com ele, convidei-o para almoçar, para ver se ele me revelava o nome do receptador.

Ele pouco comeu durante o almoço. Falou muito, mas não o que me interessava. Minha vida sempre foi uma merda, ele disse. Respondi que a vida de todo mundo, de uma maneira ou de outra, era uma merda, que dona Karin tinha me falado que ele tivera uma infância e uma adolescência muito difíceis, mas que era preciso saber enfrentar as vicissitudes, tenho um amigo que, como você, foi abandonado ao nascer, nunca soube quem era o seu pai, mas não se deixou abater por isso. Era mais uma das mentiras que nós, advogados, sempre temos na manga, para qualquer ocasião.

O senhor pensa que eu fui abandonado em um berço na porta de um convento de alemães e que nunca soube quem eram os meus pais?

Até quando tinha doze anos Waise também acreditava nisso, que os frades alemães que o acolheram deram-lhe o nome. Mas um dia notou que não era o único anão do convento, havia outro, um monge, que trabalhava na tipografia. Por acaso, certa ocasião, ficaram frente a frente e Carlos notou que era um anão e que tinha olhos azuis como os dele. O frade benzeu Carlos, dizendo, com sotaque estrangeiro, Deus o proteja, e afastou-se. Carlos esqueceu o episódio, e ficou um ano sem ver esse monge. Um dia o superior do convento, parecendo muito constrangido, o chamou dizendo que frei Rafael estava muito doente e queria falar com ele. O monge estava deitado na sua cela e os dois ficaram a sós. O monge então, com dificuldade, Carlos mal conseguia ouvir a sua voz, disse, meu filho, eu estou morrendo, reza por mim, sou um pecador. E reza também por sua mãe, o nome dela era Efigênia, ela morreu quando lhe deu à luz. Depois de dizer isso, abriu a boca e emitiu uma espécie pavorosa de gorgolejo e morreu. Carlos saiu apressadamente da cela para chamar o superior do convento. O superior o levou para o altar da capela, mandou que ele ajoelhasse. Carlos pensou que era para rezar. Mas não, o superior obrigou-o a jurar, ali, em frente à imagem de Jesus, que jamais revelaria aquele horrível segredo. Carlos jurou e o superior ajoelhou-se ao seu lado e rezaram juntos. Minha mãe era uma freira, doutor Mandrake.

Ficamos calados o resto do almoço. Quando nos separamos, fiquei algum tempo contemplando-o a caminhar pela rua, um anão cabisbaixo é uma triste figura. Um pobre homem apaixonado que quando passeava com a mulher que amava acreditava que os outros olhavam para ela achando-a bonita, quando na verdade divertiam-se com o espetáculo grotesco de um anão ao lado de uma mulher com o dobro da sua altura. Prometi a mim mesmo que o defenderia na justiça com unhas e dentes.

Telefonei para o Raul e contei a história toda, menos sobre o homem da limpeza fodido com mulher cancerosa.

Outra coisa, Raul, tenho certeza de que ele não matou a mulher.

Pode ser, respondeu Raul, mas continua sendo um ladrão. Vou dar ordem para ninguém prender o cara por enquanto. Depois, a gente vê.

Raul, o cara é meu cliente, não quero que ele sofra violência.

Pode deixar, vou dizer ao meu pessoal para tratar o anão com luva de pelica.

Fui para minha casa. Angélica foi dormir comigo, ela queria ver um filme numa das estações de canal fechado e eu disse que, enquanto isso, ia trabalhar.

Sentei na frente do computador e fiquei pensando naquela história toda. Por que Karin Altolaguirre fora me procurar preocupada com Carlos? Por quê, quando mencionei o nome dela, Carlos dera uma demonstração que, na hora, pensei fosse de surpresa, mas que poderia ser de medo? Afinal, Carlos era o quê? Um especialista em livros raros? Um ladrão perito em abrir cofres, fechaduras em geral e fazer chaves falsas? Em sua mala havia instrumentos para abrir todos os tipos de carro, de cadeado, de porta, de cofre, além de aparelhos para fazer cópias falsas de chaves, inclusive chaves tetra, a chave do Fichet. E Karin, conheceria o Caveirinha? Que merda, eu deveria ter pensado isso tudo quando o anão me procurara.

No dia seguinte eu estava estudando um caso com o Weksler quando Luma entrou na sala. Tem uma moça aí fora querendo falar com o senhor, usa unhas vermelhas postiças muito compridas e um relógio de pulso dez minutos atrasado. Ela é jornalista, diz que quer lhe falar sobre o Carlos Waise.

Levei um susto, como a imprensa tomara conhecimento de Carlos? Manda a mulher entrar.

Ela realmente tinha unhas enormes, evidentemente postiças, uma coisa que chegava a ser grotesca. Prazer em conhecê-lo, doutor Mandrake. Respondi com um aceno de cabeça, dizendo que minha agenda estava cheia de compromissos, que eu estava no meio de uma conferência com o doutor Weksler e que se ela pudesse ser breve eu agradeceria.

Essa advertência foi recebida tranquilamente. Por favor, não me chame de senhora, faz com que eu me sinta uma velha, me chame de Letícia. O senhor é advogado de Carlos Waise, que está sendo procurado pela polícia pelo assassinato de Eunice Valverde. Ele pretende se entregar à polícia?

Eu disse que nada tinha a declarar. Doutor Mandrake, ela falou com voz blandiciosa, o *Tabloidepontocom* é o jornal mais lido da internet, não somos uma reprodução de jornal de papel, essa coisa lenta que já nasce defunta, esse caranguejo atarantado num mundo cibernético, somos mais ágeis do que a televisão e com uma grande vantagem, não precisamos mostrar novelinhas, biguesbróderes e outros programas ordinários para vender cerveja e eletrodomésticos. Nosso lema é informar educando. Posso mexer no seu computador, para lhe mostrar uma coisa?

Não, sinto muito. Quem lhe deu essa informação de que o senhor Carlos Waise era meu cliente?

Doutor Mandrake, os repórteres do *Tabloidepontocom* nunca revelam suas fontes. O senhor sabe de quem estou falando, não? Carlos Waise, que dizem ser uma pessoa, como diria, de pequena estatura. Nunca escrevemos a palavra anão, no *Tabloidepontocom* somos politicamente corretos.

Não tenho a menor ideia de quem é essa pessoa.

Ela abriu a bolsa e tirou uma câmera digital. Posso fazer uma foto sua? Daqui a pouco estará no nosso site. Sob a foto, um texto curto, aspas o doutor Mandrake não sabe quem é Carlos Waise ponto estará dizendo a verdade ponto de interrogação envie sua opinião para o *Tabloidepontocom* fecha aspas. Só isso. Gostamos de interagir com nossos leitores internautas. Uma foto só, da minha câmera digital?

A senhora não vê que estamos ocupados? O doutor Mandrake não tem tempo para ficar tirando fotos, disse Weksler, mal-humorado.

Mas a mulher era mesmo furona. Posso usar o seu computador um minutinho para enviar a matéria? Não, respondi, levantando-me, nosso tempo acabou, boa tarde.

Ela levantou-se também.

Leia o *Tabloidepontocom*, daqui a pouco está tudo lá, disse com sua voz aliciante. Deu um sorriso artificial. Não serei generosa com o senhor, assim como o senhor não o foi comigo, sinto muito.

Levei-a até a porta.

Essa vaca é uma cara de pau, disse Weksler.

Com base na informação do *Tabloidepontocom*, os jornais noticiaram que a polícia estava à procura de Carlos Waise e que o conhecido criminalista Mandrake fora contratado como advogado do suspeito. Liguei para o Raul. Algum filho da puta da sua turma deu com a língua nos dentes. Veio aqui uma repórter dizendo que sabia que eu era advogado do Carlos Waise.

Cabeças vão rolar, disse Raul.

Eu havia combinado com Angélica que iria encontrá-la no seu apartamento, mas fui para o meu, decidido a vê-la. Sentia um peso no meu coração. Antes de Angélica eu tinha uma namorada que se chamava Nina, ela fazia esculturas cujo tema era o fogo, fogões, fornalhas, estátuas femininas ardendo em meio a labaredas, carvões incandescentes, ela dizia que eram carvões incandescentes e eu olhava para aquilo e via carvões incandescentes, o amor torna a pessoa mais receptiva. Mas agora eu não me lembrava mais dela, só das esculturas. E da Berta? Eu também a amava. Antes de fazermos amor jogávamos xadrez, uma espécie de ritual, como se disséssemos para nós mesmos, o sexo é tanto corpo quanto espírito. Costumávamos jogar três partidas. Eu perdia as duas primeiras e Berta me deixava ganhar a terceira. Lembro-me de quando a conheci, sabendo que jogava xadrez muito bem, comecei a ler tudo sobre xadrez, inclusive em edições fac-similadas raras, como o *Libro de la invención liberal y arte del juego del ajedrez*, escrito no século XVI pelo grande mestre Ruy López de Segura, e passava as noites ensaiando sozinho no meu tabuleiro. Lembro bem do tabuleiro que comprei, de peças de marfim, eu queria impressionar Berta de todas as maneiras. Depois de analisar detidamente alguns manuais, desafiei Berta para jogar uma série de três partidas comigo. Eu sabia, tinha certeza, que ganharia. Mas perdi todas as três, e todas as três seguintes. Depois Berta passou a deixar que eu ganhasse uma partida de vez em quando. Acabamos apaixonados um pelo outro, e sempre, depois que jogávamos, fazíamos amor. Não sei por que não existem mulheres campeãs mundiais de xadrez, talvez porque a maioria delas ainda não tenha descoberto o jogo. Na cama o jogo de xadrez terminava, mas mantínhamos a lucidez que devemos ter quando fodemos. É por isso que o álcool ou qualquer outra droga que afeta a clareza da inteligência prejudica esse ato, tirando-lhe a profundidade, empobrecendo a mais rica de todas as experiências. Depois que nos separamos, nunca mais consegui jogar xadrez.

 Deviam ser cerca de dez horas da noite quando Angélica me telefonou. Estou com saudades de você, ela disse. Passa aqui em casa. Quando cheguei à casa de Angélica, ela estava dormindo. Ver o rosto dela em repouso, indefeso, desprevenido, encheu meu coração de carinho. Tirei a roupa e deitei ao lado de Angélica. Fiquei a noite inteira olhando-a dormir, às vezes aspirava o aroma do seu corpo, dos seus cabelos.

Quando o dia começou a raiar e ela se espreguiçou, toquei o seu corpo e ela pousou a mão dela sobre a minha, que acariciava o seu seio. Mais tarde, quando tomávamos café, Angélica disse que queria me fazer uma pergunta que ficava sempre adiando. Mas, em vez de perguntar alguma coisa, apanhou uma torrada, deu uma dentada, mastigou.

Vai adiar novamente?, perguntei, brincando.

Aquele jogo de xadrez que tem na sua casa, ela disse, nunca sai da mesinha e você jamais quis jogar comigo. Você não sabe jogar xadrez, respondi. Por que não me ensina? Combinado, eu disse. Você é inteligente, vai aprender num instante. Com quem você jogava? Com o meu pai, respondi, com mais ninguém.

Eu estava no escritório quando Karin telefonou dizendo que queria conversar comigo, se podíamos almoçar juntos.

Quando Karin entrou no restaurante deu-me a impressão de estar ainda mais bonita do que da última vez em que eu a vira. Era o rosto, o cabelo, o corpo, ela toda. Estava vestida de maneira descontraída, de jeans e blusa. Depois que trocamos algumas palavras sobre o tempo e outras banalidades eu disse que sentira uma certa preocupação. Após refletir um pouco, Karin, mais hesitante do que em nossas conversas anteriores, disse que estava me devendo uma explicação. Peguei os fósforos e pus na mesa, na frente dela. Ela sorriu. Deixei de fumar, estava prejudicando a minha saúde. Este cinzeiro de metal já estava aqui antes? É uma escultura, eu disse, apontando o cinzeiro. E seu pai, está bem? Meu pai está viajando. Doutor Mandrake, ela começou e parou. Pedi-lhe que me chamasse Mandrake, o doutor era muito formal. Mandrake, você gosta de Michel Zévaco? Respondi que tinha uma vaga lembrança de tê-lo lido quando adolescente. É um autor menor, eu sei, ela começou, no seu jeito especial de falar, intercalando uma curta pausa a cada poucas palavras pronunciadas, falou que sempre gostara de livros, mas que lia pelo prazer de ler, seguia o conselho de Montaigne, se não estava gostando do livro, abandonava logo a sua leitura, não perdia tempo insistindo. Desde garota frequentava livrarias com o pai, e um dia entraram num sebo, ela devia ter uns treze anos, e comprara um livro de Michel Zévaco, um romance chamado *Fausta*, uma brochura velha, caindo aos pedaços. Ficou fascinada com o livro. Em menos de dois anos conseguiu cerca de quinze outros livros de Zévaco, todos velhos exemplares usados. Zévaco era um escritor prolixo, nascido no século XIX, na França, isso era tudo o que ela sabia sobre ele, a edição da Larousse que possuía nem sequer tinha um verbete com o nome do escritor, o mesmo acontecendo com a Britânica. Um dia passara na porta da Livraria Antique e entrara, apesar da relutância do pai, que, como ela já me dissera, não se interessava por livros raros. Na livraria, fora atendida por Carlos Waise. Indagou se possuíam a primeira edição de um livro de Zévaco, qualquer livro. Ele disse que não, mas que talvez pudesse localizar com outro livreiro e que telefonaria para mim. Dois dias depois, telefonou e disse que conseguira o livro. Passou na minha casa, apanhou um cheque com a quantia que pedira, disse que traria o livro no dia seguinte e nunca mais apareceu. Eu queria encontrar o Carlos Waise para receber o meu livro, que de repente virara ideia fixa. Não era pelo dinheiro. Na verdade eu pagaria novamente, se ele aparecesse com o livro. Era o que eu iria propor ao Carlos, se você o tivesse encontrado. Quando soube que ele estava sendo procurado pela polícia, fiquei preocupada com o que você estaria pensando. Você é advogado dele, não é? Ele lhe falou alguma coisa? Respondi, ele me disse que sabia quem era o assassino de Eunice, mas não esclareceu quem era.

Acreditei nela. A história parecia furada, mas eu queria acreditar nela. Karin ficou pensativa por algum tempo. Depois fez algumas perguntas, quis saber como era a minha relação com os clientes, se eu me preocupava em saber se o cliente era culpado ou inocente, se já havia defendido alguém culpado de um crime abominável, como se comportava uma mulher acusada de um crime de homicídio em comparação com um homem.

Peguei um táxi e voltei para o escritório, sentindo-me angustiado, sem saber a causa, como acontece com as piores ansiedades.

No dia seguinte fui me encontrar com Ledoux na Antique.

O senhor gosta de champanhe?, ele havia perguntado ao telefone. Respondi que sim, o cara era meu cliente, ia aprender com o tempo que eu era um homem do vinho tinto, champanhe é bebida de mulher.

Ledoux abriu uma garrafa de champanhe para comemorar a sua liberdade. Ele sabia tudo sobre champanhe. Eu sou de Reims, disse. Deu um gole na sua taça, sinta a pureza, a sedosidade, o aroma. É a minha única fraqueza. Respondi que preferia os tintos.

Preciso conversar um assunto confidencial com o senhor, eu disse. Ledoux fez um gesto para dizer que estava às minhas ordens. Preciso ter conhecimento de quem eram os seus clientes, saber até que ponto estão acima de qualquer suspeita, eu disse. Eles estão acima de qualquer suspeita, respondeu Ledoux, não se preocupe, um deles é tão confiável que roubou o livro ele mesmo e o trouxe de Chillán, aquele que estava no meu cofre. Perguntei o nome do cliente, mas Ledoux pediu-me que não o obrigasse a fazer isso.

O senhor sabia que o Carlos Waise e o Raimundo, esqueci o nome completo dele, aquele sujeito magro e cinza que, creio, tem o apelido de Caveirinha, já haviam sido presos antes? Ledoux respondeu que sabia, que gostava de ajudar os desafortunados, dar uma oportunidade de recuperação aos infelizes, estigmatizados pela sociedade. Perguntei, o senhor conhece o Clube dos Bibliomaníacos? Já ouvi falar, Ledoux respondeu. O Rafael Pedrosa é seu cliente?

Ledoux respondeu que não. Doutor Mandrake, tenho um compromisso daqui a pouco.

Não insisti e despedi-me. Cheguei ao escritório no fim da tarde.

Luma, pelo interfone, disse que o Raul queria falar comigo, ele ligara antes, várias vezes.

Atendi.

Porra, onde você se meteu? Carlos Waise foi assassinado, tiro na cabeça. O anão tinha uma arma no bolso, mas não teve tempo de usá-la. Daqui a pouco o corpo vai ser removido para o Médico Legal. Quer assistir à necropsia?

A surpresa da notícia deixou-me mudo. Então era aquele o plano que Carlos Waise dissera ter, no meu escritório, matar o assassino da sua amada e recuperar a Bíblia. Pobre-diabo.

Acho que o anão roubou a Bíblia para aqueles caras da Antique, continuou Raul, o anão trabalhava lá, devia fazer dupla de meliantes com o francês. A Bíblia só pode interessar a um colecionador muito fanático, que não vai poder exibi-la para ninguém, pois todo mundo, todo mundo mesmo, sabe que ela foi roubada. E quem pode conhecer um colecionador fanático, obsessivo-compulsivo, melhor do que um vendedor de livros raros? Para garantir a própria impunidade mataram a bibliotecária, pois temiam que desse com a língua nos dentes, depois mataram o anão. Ninguém pode provar nada contra eles. Estou estudando uma boa maneira de destrinçar essa coisa. O Ledoux é a chave do problema.

Fui almoçar com a Sílvia Guimarães e o Weksler. Sílvia estava ainda mais bonita do que da última vez em que eu a vira, alguns meses antes. Lembrei-me dela entrando no meu escritório pela primeira vez, cruzando as pernas e deixando à mostra seus joelhos lindos, mas vou deixar para pensar depois em joelhos de mulher, principalmente joelhos de uma mulher bonita, de saia curta, quando cruza as pernas ao sentar-se ou quando, para fazer alguma coisa, por exemplo, arrumar a coleira de um cão com o qual está passeando na rua, os dobra, o tórax ereto, e parece sentar-se sobre os calcanhares, fazendo os joelhos se projetarem e as coxas se alongarem.

Você continua vegetariana? Sim, e fazendo ioga, e gostando de Beethoven, de flores e de champanhe. E você? Continuo onívoro e gostando de vinho tinto. Weksler olhou para nós com cara de desprezo.

Fizemos os nossos pedidos. Ela pediu peixe grelhado com legumes. Eu, um turnedô malpassado, para provocar. Meu primeiro pensamento foi pedir um steak tartare, mas aí seria mais do que provocação, seria uma afronta.

Mandrake, eu tenho um caso, quer dizer, nós temos um caso que é uma maravilha. Um sujeito chamado Remy Gagliardi, que era diretor de pesquisas da Lobato, a segunda maior empresa de produtos farmacêuticos do país, fora demitido da firma, acusado de furto de informações científicas referentes a um produto que estava sendo desenvolvido para tratamento do que chamam de disfunção erétil. Gagliardi teria vendido as informações para a concorrente da Lobato, a Laboratórios S&S. A Lobato, além de demitir o senhor Gagliardi, dera queixa na polícia. Interrogado, ele confessara ter entregado a fórmula por dinheiro. O delegado encarregado ainda estava terminando o inquérito, ouvindo testemunhas, antes de enviá-lo ao juiz. Sílvia conseguira uma procuração para eu representar Gagliardi no julgamento criminal.

Ela abriu a pasta de couro que estava na cadeira ao seu lado, tirou uma folha de papel. Aqui está. Se vocês absolverem o Gagliardi, conseguirei que a Lobato seja condenada a pagar a ele uma indenização milionária no foro trabalhista, além de tudo o que vamos conseguir na ação por perdas e danos morais no foro cível. Vamos ganhar muito dinheiro. Meio a meio. Vocês topam?

Depois de rápido olhar para Weksler, que se mantinha calado, respondi que ela podia contar com a gente. O garçom trouxe a comida e durante o almoço continuamos falando do caso Gagliardi. Como é caracterizado o crime que ele cometeu?, perguntou Sílvia, não entendi bem, você sabe que sou nula em direito penal. Crime contra a propriedade industrial e comercial, disse Weksler, utilizar informações ou dados confidenciais para proporcionar vantagem ao concorrente do empregador. Tivemos um caso desses recentemente e absolvemos o acusado. Mas ele não confessou que utilizara informações confidenciais e muito menos que recebera dinheiro para isso, como o cretino do Gagliardi.

Estávamos no meio do almoço quando Sílvia me perguntou se eu estava gostando de alguém. Sim, e você? Estou saindo com um cara, mas sem muito entusiasmo, ela respondeu.

Ficamos em silêncio algum tempo. Como sempre, havia uma evidente intensidade entre nós.

Sua carne está boa? Respondi que sim. E o seu peixe? O peixe dela também estava bom. Falamos generalidades, escondendo nosso retesamento. Um dia íamos ter que resolver aquilo, mas nenhum de nós tinha coragem de tomar a iniciativa.

Na rua, antes de levá-la até um táxi, eu disse a ela que mandasse o farmacêutico ao nosso escritório.

Essa é a próxima a entrar em pica, disse Weksler.

Remy Gagliardi era um sujeito magro, de óculos de fundo de garrafa que faziam as suas pupilas ficarem do tamanho da bola oito do bilhar. Usava um terno amarfanhado e gravata solta no colarinho. Admitiu que combinara passar as informações sobre o produto que estava pesquisando, um novo citrato, indicado para homens incapazes de atingir ou manter ereção suficiente para desempenho sexual satisfatório. Ele queria dinheiro para comprar uma fazenda de criação de cavalos de raça, sonho que tinha desde criança. Foi uma estupidez, nem sei montar, e creio que só vi cavalos vivos nos meus sonhos. Mas não cheguei a receber dinheiro. Nem um tostão.

O que foi que o senhor disse na polícia?, perguntou Weksler. O que acabei de contar para vocês. Fiquei com medo de sofrer alguma violência, mas não aconteceu nada.

Para nós teria sido melhor, disse Weksler. Gagliardi explicou que o delegado tinha até lhe oferecido um cafezinho e água mineral. Esses são os mais perigosos, disse Weksler.

Gagliardi tirou os óculos, embaçados por uma camada de sujeira que até eu podia notar, e limpou-os na camisa. Tinha os olhos de um sujeito honesto e aparvalhado, o clássico cientista biruta.

A S&S afirma que nunca teve nenhum contato comigo, e que também estava desenvolvendo pesquisas referentes a esse medicamento para a disfunção erétil. Gagliardi explicou que, tal como ele, muitos pesquisadores do mundo inteiro trabalhavam em pesquisas com esse objetivo. Mas o que ele pesquisara, e a S&S lançara, fora o primeiro de fórmula nacional, produzido em nosso país. O efeito do medicamento era quase instantâneo, apenas alguns minutos. Gagliardi não tinha razões para nutrir desconfianças em relação à S&S, seu contato na empresa fora realizado com o próprio chefe do setor de pesquisas, um primo de nome Aluísio, filho da irmã da sua mãe. Crescemos juntos, estudamos nas mesmas escolas. Ele agora informa que a direção da S&S, aconselhada pelo seu departamento jurídico, não quer me pagar, nem mesmo falar comigo. Meu primo ficou muito chateado, disse que ia pedir demissão, mas eu fiz um apelo para que não fizesse isso, argumentei que ele, o meu primo, precisava daquele emprego e acabei por dissuadi-lo.

Gagliardi era mesmo um parvo. Vamos estabelecer uma estratégia e o senhor vai ter de seguir à risca o que dissermos, do contrário não assumiremos sua defesa. Estamos combinados? Como assim?, ele perguntou. Para absolvê-lo teremos que usar todos os recursos possíveis, e o senhor já demonstrou de maneira lamentável sua incapacidade de se proteger. Mas vamos encontrar uma saída, desde que siga nossas instruções com exatidão.

Mas eu já confessei tudo, ele disse. Senhor Gagliardi, disse Weksler, confissão na polícia não vale nada, aceita ou não aceita fazer o que mandarmos?

Está bem, disse ele, fazendo uma cara infeliz.

Cheguei ao escritório de manhã bem cedo, os faxineiros ainda estavam acabando a limpeza. Sentei em frente ao computador e comecei a ler os jornais, sem muito interesse. Às oito e trinta, claro que eram oito e trinta, Luma abriu a porta. Bom dia, que cara é essa, aconteceu alguma coisa? Essa é a minha cara, respondi mal-humorado.

Esperei Luma sair e liguei para Karin. É muito cedo? Acordei você? Ela respondeu que já tinha ido à academia de ginástica, que já fizera inúmeras coisas. Vamos jantar amanhã?, perguntei.

Durante duas semanas eu estive dia sim, dia não com Karin. Enquanto isso, eu me encontrava com Angélica menos que de costume, e justificava minhas ausências com mentiras e evasivas. Meus encontros com Karin eram quase sempre à noite. Um dia ela me disse que preferia o dia à noite, e a parte do dia que mais gostava era a aurora.

A noite, quando foi conquistada, disse ela, dissipou o medo da escuridão e permitiu que ficássemos acordados fazendo coisas que antes eram impossíveis de fazer durante esse período. E então, o que era prazeroso, ou proibido, passou a ser buscado de preferência durante a noite, agora dominada por nós, e até mesmo quem tem o dia inteiro livre deixa o prazer para quando a noite cai e as luzes são acesas. Essa era a teoria de Karin.

Costumávamos passear no jardim botânico, no parque da cidade, na floresta da Tijuca. Eu me dizia um dendrólatra, mas quem sabia tudo sobre árvores era Karin. Enquanto andávamos no mundo vegetal, ela ia identificando as árvores, dizendo nomes que eu nunca ouvira falar. Mas ela também gostava das montanhas cobertas de gelo, quando os dias adquiriam uma brancura luminosa. Esquiar era o seu esporte favorito, mas ela não frequentava estações muito badaladas. Perguntei qual ela frequentava e ela respondeu que nos últimos anos tinha passado a temporada de esqui em Chillán, no Chile, hospedada no Grand Hotel Termas, muito confortável.

Então aconteceu o que tinha de acontecer. Durante um passeio matutino, era um sábado, abracei Karin e disse que a amava. Ela respondeu que também sentia algo muito forte por mim.

Afinal, fomos para minha casa, entramos e ficamos imóveis, um olhando para o outro, nossos rostos se aproximaram lentamente e nos beijamos, primeiro de maneira tímida, sem que o resto dos nossos corpos se tocasse. Karin estava muito emocionada, eu também, a inocência de Karin acendia uma centelha, um frisson de eufórica felicidade dentro de mim, comovi-me com a radiância do seu corpo nu curvado, sua boca no meu pênis, ouvi-a perguntar, docemente, fitando-me com seus olhos cheios de pureza, está bom?

Alguns dias depois, Karin me telefonou para dizer que o pai dela queria muito me conhecer. Falo tanto em você que ele pediu para irmos jantar na nossa casa.

A mansão de Altolaguirre possuía um bosque de árvores de grande porte nos fundos, que eu não tivera oportunidade de ver quando fora jantar com Karin e os bibliomaníacos. Aquilino Altolaguirre era um homem alto, forte, calvo, de rosto bronzeado. Depois do jantar levou-me para ver a sua biblioteca.

Não dou importância a livros raros, ele disse. Eu também não, respondi.

Mostrou-me a estante onde estavam os livros de Proust.

Tenho todos os livros do Proust, ele disse, um dos meus autores favoritos, inclusive este, *Les Plaisirs et les jours*, cuja leitura não deixaria ninguém imaginar o grande escritor que Proust viria a ser.

Foi uma noite agradável. Karin e eu saímos juntos e fomos para minha casa. Logo que entramos, Karin soltou os cabelos. Beijei-a no pescoço, sentindo o aroma da sua pele, seus cabelos roçando o meu rosto. Depois fomos para o quarto e Karin, com um sorriso tímido, desnudou-se. Pedi-lhe que levantasse os braços, beijei-a nas axilas. Depois contemplei seu corpo nu na cama e julguei-me o homem mais feliz do mundo. Amar Karin era, de certa maneira, uma experiência mística, não obstante a forte carga de erotismo que nos envolvia.

VIDA DE ADVOGADO
CRIMINAL

No dia seguinte pela manhã peguei um táxi e fui à casa de Angélica. Quando me viu entrar, Angélica levantou-se da poltrona onde estava lendo e me beijou. Que cara é essa?, ela perguntou.

Angélica, respondi, eu te amo. Ela me olhou surpresa. Querido, você veio aqui antes de ir trabalhar para me dizer isso? Fico muito feliz, você anda tão esquisito ultimamente. Acho que cocei a cabeça ou dei qualquer outra dica.

O que está havendo? Você fez alguma bobagem? Ontem você passou mesmo o dia com um cliente?

Respondi que sim e ela quis saber qual era o nome do cliente.

Aquele que está sendo processado, o tal farmacêutico, respondi, eu lhe falei sobre ele. Angélica não se lembrava. Dei um beijo nela, disse que tinha de ir, que a vida de um advogado criminal era cheia de problemas e que eu tinha clientes aflitos me esperando no escritório.

Não tive coragem de confessar tudo e pedir perdão.

A rotina de um advogado criminal é muito aborrecida, principalmente um como eu, que aceita clientes como dona Neide, que não podem pagar e enchem o saco. O sistema judiciário é emperrado, os processos se arrastam, uma merda. Quando cheguei ao escritório liguei para o Raul e perguntei se ele conhecia o delegado José Alberto. É meu amigo, ele respondeu.

Qual o perfil do cara?

Se fossem muitos os josés albertos na nossa polícia, ela seria a melhor do mundo, Raul respondeu. Ele é inteligente, honesto, sério, competente. Raul queria saber por que eu estava interessado nele e falei do caso Gagliardi, um crime contra a propriedade industrial, e acrescentei que acreditava na inocência do meu cliente.

Se o seu cliente for inocente, respondeu Raul, tudo bem, mas se for culpado está fodido, os relatórios dos inquéritos que o José Alberto prepara não são aqueles rotineiros, que servem apenas de base à articulação da denúncia pelo Ministério Público, eles são copiados pelos promotores e sempre despachados favoravelmente pelos juízes.

Vivo dependurado no telefone, acho que isso acontece com todos os profissionais liberais. Liguei para Sílvia. Contei a ela as conversas que tivera com Gagliardi e com Raul. Sílvia, a situação do Gagliardi é ainda mais complicada do que parece. Vamos em frente?

Vamos em frente, ela respondeu.

Depois que desliguei o telefone fiquei pensando em Sílvia, no que ela me dissera, que estava saindo com um cara mas sem muito entusiasmo. Não será esse comportamento feminino uma forma de reação contra a opressão sexual sofrida historicamente pelas mulheres? — vocês são assim?, nós também podemos ser. Dizem que com a minha mania de defender as mulheres eu fico tão apaixonado que meto os pés pelas mãos. No século XIX os homens começaram a perceber que as mulheres iam se tornar um problema difícil, estavam surgindo os primeiros movimentos feministas, as mulheres querendo votar, ainda não estavam querendo liberdade para foder, mas os homens sabiam que, depois do direito de votar, elas iriam, cedo ou tarde, exigir o direito de gozar quando sentissem vontade e da maneira que quisessem, como algumas mulheres nas grandes metrópoles estão fazendo, e também nos seriados da televisão. Mas isso ainda ocorre apenas com uma minoria de mulheres, cuja vida na grande cidade as ajudou a se liberarem, mas não como deviam, deixando de ser objetos sexuais dos machos, porque mesmo para essas mulheres chega um momento, talvez quando os seios e a bunda começam a cair, quando não conseguem mais pegar homem em bares e o uso dos mais sofisticados vibradores não soluciona a sua solidão, mesmo essas mulheres liberadas, quando chega esse instante inexorável, querem arranjar um parceiro, no fundo isso é uma confissão de derrota. Isso vai acontecer com a Sílvia?

Quando cheguei na Vara Criminal, dona Neide estava sentada num banco na antessala do juiz.

Dona Neide, a senhora se lembra do que combinamos, não lembra? O seu Rosalvo cruzou a rua subitamente...

O nome dele era Raimundo, disse ela, me interrompendo.

O seu Raimundo, continuei, atravessou a rua fora da faixa e surpreendeu a senhora, que usou os freios mas mesmo assim não conseguiu evitar o atropelamento. É isso que a senhora vai dizer ao juiz, está bem?

Pouco depois, fomos chamados à presença do juiz. Ao lado da mesa do juiz havia outra mesa na qual já estava sentado o promotor do caso. Eu e dona Neide sentamos numa mesa estreita e comprida posicionada à frente da do juiz.

O juiz pegou o processo e deu uma rápida lida na denúncia do promotor e nas minhas alegações finais.

Muito bem, dona Neide, disse o juiz, quero ouvir um relato sucinto dos fatos. Como foi que ocorreu o atropelamento? A senhora já prestou um depoimento na polícia e eu gostaria que a senhora falasse novamente sobre essa ocorrência.

O senhor quer saber como foi? Dona Neide virou-se para mim. Doutor Mandrake?

Dona Neide, eu disse, conte como foi que aconteceu, da maneira que a senhora me contou no meu escritório, lembra? Doutor Mandrake, disse o juiz secamente, favor não interferir no depoimento de dona Neide.

Meritíssimo, eu disse, data venia, ela é uma senhora muito ingênua, não entendeu a pergunta. Eu estava apenas esclarecendo.

Entendi, sim, doutor Mandrake, disse dona Neide. A coisa aconteceu assim, seu juiz. Eu estava distraída falando no meu celular, com uma vizinha minha que fez operação da vesícula, uma operação complicada porque ela teve uma crise, cólicas fortíssimas, e foi internada.

Dona Neide, atenha-se aos fatos, alertou o juiz, a senhora estava dirigindo distraída, falando no seu telefone celular e...?

O seu Raimundo, coitadinho, apareceu na minha frente, e eu o atropelei, disse dona Neide, fungando e tirando um lenço da bolsa com o qual assoou o nariz.

Abri a boca para falar, mas o juiz fez um gesto com a mão aberta, como dizendo que se eu falasse alguma coisa ele ia me expulsar da sala.

Dona Neide, disse o juiz, na polícia as suas declarações foram diferentes.

Eu fiz o que o doutor Mandrake mandou naquela ocasião, disse dona Neide, mas hoje ele disse para eu falar a verdade, foi um alívio para mim.

Um sofrimento, a profissão de advogado criminal.

KARIN

Cada vez eu gostava mais de Karin, mas também de Angélica, provavelmente como amiga, não mais como amante. Deveria ter uma conversa com ela sobre isso? Decidi que lhe contaria toda a verdade, Angélica era o meu melhor amigo.

Quando cheguei à casa dela, Angélica estava lendo.

Quem é vivo sempre aparece, disse ela, alegre.

Angélica, tartamudeei, não sei como lhe dizer isso, e embatuquei, fiquei coçando a cabeça, eu tenho o tique de coçar a cabeça sempre que estou confuso.

O que você quer me dizer?, perguntou Angélica com voz angustiada. Seu rosto estava pálido, como se ela soubesse o que ia ouvir, anda, fala logo.

Eu gosto de outra mulher, eu disse.

E logo a abracei, pedi perdão e disse que queria continuar sendo seu amigo, que ela era o meu melhor amigo, por favor.

Eu não quero ser sua amiga, quero ser sua mulher.

E começou a chorar. Eu não sabia o que dizer, mas não cocei a cabeça, fiz um afago no seu ombro, que ela repeliu com um gesto.

Fui almoçar com Raul, mas não lhe falei sobre o que acontecera com Angélica, nem ele do seu problema, as camisinhas que a mulher encontrara no seu bolso, o que significava que não fora solucionado satisfatoriamente. Perguntei se ele ainda estava de dieta e ele respondeu que ia frequentar os vigilantes do peso. Começo segunda-feira, você não disse que regime a gente começa na segunda-feira?

Estávamos num restaurante italiano, por sugestão dele. Pedimos um ravióli especial que eles faziam, com um recheio misterioso cujos ingredientes eu nunca quis saber quais eram. Eles não tinham Periquita, pedimos outro vinho tinto português. Éramos fiéis aos tintos portugueses.

Já mandei fazer os tanques para a criação de rãs, você sabia que existem em nosso país dezenas de espécies diferentes de rã? Que entre nós o hábito de comer rã é muito recente, na França faz séculos que eles comem rã? É por isso que durante a Primeira Guerra os franceses eram apelidados de *frogs*, porque tinham o hábito, ainda não universalmente difundido naquela época, de comer rã. Aliás, os franceses comem de tudo, por mais nojento que seja, veja o amor que eles têm pelas lesmas.

Que eu saiba, os ingleses já chamavam os franceses de *frogs* durante as guerras de Napoleão, talvez antes. Mas o que eu quero saber é se você já descobriu quem assassinou Eunice Valverde e Carlos Waise.

Ele respondeu que não havia novidades. Que provavelmente a mesma pessoa havia esganado aquela velhota e depois matado o anão a tiros. Deixa eu acabar o que estava falando. Os primeiros criadores de rã em nosso país roeram beirada de penico, como você costuma dizer. Não estamos acostumados a comer rã, todos os outros animais gostam de comer rã, gatos, pássaros grandes, por exemplo os gaviões, sapos, cobras, até rãs gostam de comer rã. Por isso tenho que ter vários tanques, as grandes comem as pequenas, por mais ração que você dê a elas. Rã é o prato preferido das rãs. Outra coisa, normalmente apenas um décimo das rãs sendo criadas sobrevive. Os tanques têm que ser cobertos com redes.

Não é melhor plantar alface? Olha bem para mim, respondeu Raul, tenho cara de plantador de alface? Raul, apesar de estar barrigudo, tinha o rosto magro, quando ele ria fazia uns vincos no lado do rosto; olhos cinzentos, gastos.

Não, você não tem cara de plantador de alface. Mas também não tem cara de criador de rã. Você tem cara é de tira mesmo. Tira infeliz. Ele ignorou o comentário e prosseguiu na sua exposição sobre a criação de rãs.

Demora uns seis meses para se conseguir uma boa safra, mas é um bom negócio, no mundo inteiro consomem-se milhões de rãs, há até gente que tem rã como bichinho de estimação, cheguei a pensar em levar uma para minha casa, mas a Lucinha disse ou eu ou a rã, se você trouxer uma rã para morar na nossa casa ela entra por uma porta e eu saio pela outra. Quem acabou saindo fui eu. Por causa das camisinhas.

Por alguns momentos ele ficou calado, talvez pensando nos seus problemas conjugais. Mas Raul estava pensando em outro assunto. Depois de examinar todos os aspectos do caso do incunábulo de Gutenberg, disse, eu continuo acreditando que Pierre Ledoux é o culpado dos crimes. O anão roubou a Bíblia para o francês e este depois matou o anão, assim como assassinara Eunice, quando soube que eles iam devolver os dois volumes do livro.

Mas eu não concordava com ele.

MORCEGOS VOANDO NO CREPÚSCULO

Liguei para o Raul.

Estou suspeitando seriamente que aquele sujeito chamado Rafael Pedrosa, do Clube dos Bibliomaníacos, pode ser o assassino da Eunice e do Carlos, eu disse. Lembra daquela reunião do clube a que compareci? Ele gabou-se de que seria capaz de matar para obter um livro que estivesse desejando muito.

Foi bom você me ligar sobre isso, respondeu Raul. Recebi hoje os informes sobre as investigações que mandei fazer sobre os membros do clube, cujos nomes você me deu. De acordo com os papéis que tenho à minha frente, posso lhe afirmar o seguinte. O Salvador não precisa roubar e vender livros. Ele tem, como empresário, uma maneira mais eficiente de tirar dinheiro dos outros. Parabéns, Raul. E o outros?

O Venâncio Flores é aparentemente um carola inofensivo, mas já foi acusado e inocentado por crime de receptação, exatamente de um livro raro furtado do Museu Nacional. Georgina é uma empresária ambiciosa e inescrupulosa, sua firma está sendo investigada por fraude fiscal. A outra, Lucíola, é uma velhota viúva, segundo você incapaz de fazer mal a uma mosca. Mas recentemente envenenou o cachorro de uma vizinha apenas porque, disse ela, não gostava de cães. O Heitor de Oliveira Gomes está sendo investigado pelo Imposto de Renda, alguma coisa ligada à remessa ilegal de dólares para o exterior. Ninguém sabe de onde vem o dinheiro dele. Mas descobri que é sócio do Ledoux na Antique. O francês estava precisando de dinheiro e pediu emprestado ao Heitor, não pagou e a dívida foi transformada em investimento na livraria. Você não acha isso interessante? O verdadeiro dono da Antique não é o Ledoux.

E o Rafael Pedrosa? Esse também é interessante. Tem uma vida dupla. Já esteve envolvido em ocorrência policial.

Eu sabia que ele era um homem perigoso, falei. Perigoso, não sei, respondeu Raul, sei que gosta de se vestir de mulher para frequentar os inferninhos da Lapa. É um travesti.

É mesmo? Que envolvimento ele teve com a polícia?

Caiu no golpe do boa-noite-cinderela, sabe o que é, o michê drogou o Pedrosa, amordaçou, amarrou e limpou o apartamento dele com ajuda de cúmplices.

Ele teve coragem de dar queixa na polícia?

Não. O azar dele é que os caras pegaram as chaves desse Pedrosa e antes de sumir trancaram o apartamento. Por algum motivo a banheira estava enchendo de água, talvez uma preparação para um banho a dois que não ocorreu, e a água começou a vazar. O porteiro, temendo que alguma coisa tivesse acontecido, pois batia na porta e ninguém atendia, chamou a polícia, que arrombou a porta. Ele estava amarrado num sofá, de sutiã e calcinha de renda. A sorte é que ninguém da imprensa soube, seria um prato cheio, a bicha é um esportista conhecido.

Apesar de decepcionado, pois já não podia mais ter certeza de que ele era o assassino, senti certa satisfação ao saber que o sujeito era um travesti e caíra no conto do boa-noite-cinderela. Ele tinha mesmo que gostar mais de livro do que de mulher.

Mandrake, esse Clube dos Bibliomaníacos é um antro de meliantes, disse Raul. Me responde uma coisa. Por que você não me deu o nome de um dos membros do clube?

Desconversei. Quer dizer que o Rafael Pedrosa é um travesti inofensivo? Nenhum daqueles caras do Clube dos Bibliomaníacos é inofensivo, respondeu Raul, estavam todos incluídos na lista de clientes do francês, o tal Ledoux. Pedi ao meu colega da Roubos e Furtos, o Freitas, para convidar os marmanjos à delegacia para prestar declarações ligadas à Antique. Em dias diferentes, é claro. Eu estarei presente. Mas você não respondeu à minha pergunta. Por que não me deu o nome da Karin Altolaguirre? Ela também é do clube. E foi quem pediu a você para fuçar a vida do anão. Ela está acima de qualquer suspeita? Não existe ninguém acima de qualquer suspeita, você sabe disso. Eu a incluo como suspeita, na minha lista, uma das principais suspeitas.

Ficou maluco, Raul? Que absurdo.

Mandei levantar a folha corrida dela. Mandrake, não deixa o coração controlar sua mente. Sua namoradinha já foi processada por crime de lesões corporais graves. Deixa de ser otário.

Raul desligou o telefone antes que eu pudesse dizer alguma coisa.

Entre os pensamentos, as suspeitas são como morcegos, sempre voam no crepúsculo e certamente devem ser reprimidas, ou pelo menos bem-vigiadas; elas levam reis à tirania, maridos ao ciúme e os homens sábios à indecisão e à melancolia, como disse o filósofo Francis Bacon. Quanto menos sabemos, mais suspeitamos, e o que devemos fazer? Procurar saber mais, e, para saber mais, usar todos os meios; se o alvo de sua suspeita é uma pessoa, comunicar-lhe as suas desconfianças, pois sempre obterá uma reação reveladora que poderá ajudá-lo a desmascarar, desmistificar e expor aquilo que está oculto. Em nosso país, onde apenas os crimes contra a vida vão a julgamento pelo júri, caso em que a decisão é tomada por sete palermas facilmente engabeláveis, em nosso país todo trabalho é realizado em petições dirigidas a um juiz ou a um tribunal, e, portanto, para nós, advogados, é mais importante saber escrever do que falar.

Na minha mente tenebrosa recordei a conversa que tivera com Carlos dias antes de ele ser assassinado. Carlos em nenhum momento se referira ao sexo do receptador, dizia "a pessoa", e quando lhe perguntei o nome da pessoa ele respondera que eu saberia no devido tempo, como se a revelação fosse me surpreender. Subitamente lembrei-me da palavra Chillán, o lugar onde Karin esquiava, Chillán, o lugar onde ficava o museu de onde haviam roubado o incunábulo do século XIV encadernado em pele de cabritilha.

Telefonei para Karin pedindo que passasse no meu escritório, eu tinha uma coisa urgente para lhe falar.

Karin chegou, me abraçou carinhosamente, aumentando o peso que eu sentia no coração. Ela sempre me dera uma ideia de inteireza e pensar nela como sendo outra era uma discrepância que me confrangia.

Que coisa urgente era essa que você queria falar comigo?

São várias coisas. Por que você não me disse que foi processada e condenada por lesões corporais graves?

Ela me olhou surpresa, sem saber o que dizer.

Fala, anda. Mandrake... isso... isso... foi no tempo da faculdade. Então, fazendo pausas entre as palavras, contou que sofria de um problema de linguagem naquele tempo, que sabia que as pessoas riam dela pelas costas, e um dia o professor a convencera de que podia apresentar verbalmente um trabalho em sala, que se quisesse venceria a sua timidez, mas ela foi um fracasso, começou a gaguejar, calou-se e sentara-se, morta de vergonha. Então uma garota, em plena sala de aula, levantou-se e começou a imitá-la, e os colegas caíram na gargalhada, e ela continuou, e a sala inteira ria, e Karin se sentiu humilhada, mas ao mesmo tempo aquilo a encheu de tanta raiva que ela correu para a menina que a estava ridicularizando e lhe deu um empurrão. A menina caiu, bateu com a cabeça na quina de uma das carteiras, sofreu uma fratura de crânio, um ferimento grave, e teve que ser hospitalizada durante um longo tempo. O pai de Karin pagara tudo, hospital, indenizações, tudo.

Você me perdoa por ter lhe escondido isso? Mas foi há tanto tempo, prefiro esquecer e evito comentar.

Quero que você me fale mais sobre Chillán, eu disse, implacável. O quê?, ela perguntou. Tudo, respondi.

Karin ficou algum tempo em silêncio, pensativa. Depois falou do hotel, falou das ruas e da arquitetura da cidade, da topografia da montanha onde esquiava. Sua maneira de falar demonstrava uma acentuada disfasia.

Fiquei ouvindo, calado.

No fim ela me perguntou, por que esse súbito interesse por Chillán? Quando for a temporada, quer ir esquiar comigo? Eu continuava calado. Ela acrescentou, quer saber mais alguma coisa?

Fale-me sobre um incunábulo raro e valioso que desapareceu do museu de Chillán na época em que você estava esquiando lá. Nada sei sobre isso, ela respondeu. Perguntei se ela também não tinha ouvido falar na apreensão, pela polícia, na Antique, de livros raros roubados em várias partes do mundo. Nunca leio a seção policial dos jornais, ela respondeu.

Um desses livros foi o tal incunábulo roubado em Chillán, eu disse. O Ledoux, da Antique, de quem agora sou advogado, afirmou que o livro foi roubado por um cliente dele, que o livro estava no cofre da Antique, quando ocorreu a busca da polícia, apenas para ser restaurado. O livro foi roubado quando você esquiava na cidade.

O que eu tenho com isso?, perguntou Karin, muito pálida. Cada vez falava com mais dificuldade.

O seu conhecido, ou amigo, Carlos Waise, trabalhava na Antique, ele era um ladrão de livros raros, roubou a Bíblia da Mogúncia e depois foi assassinado. Isso também saiu nos jornais.

Karin abriu a bolsa, talvez um reflexo condicionado, à procura dos cigarros que não encontrou, isso acontece muito com uma pessoa subitamente tensa. Não sei aonde você quer chegar, ela disse. Acredito, respondi, que todos esses acontecimentos de uma forma ou de outra estão ligados a você.

Eu, eu, eu, gaguejou Karin.

Você está escondendo alguma coisa de mim?

Não sei... do que, do que, você está falando, ela disse, gaguejando tanto que era quase impossível entender o que ela dizia.

Você roubou o incunábulo de Chillán?, perguntei.

Você pensa isso de mim? Não quero nunca mais ver você na minha frente, ela gaguejou com dificuldade, o que me deixou ainda mais consternado.

Tentei impedi-la de ir embora. Abracei-a. Mas não adiantou. Num repelão ela se afastou, me deu as costas e foi embora.

O COLECIONADOR

Dona Neide foi julgada e condenada a prestar serviço comunitário num hospital de idosos, além de ter a carteira de motorista cassada, o que não a incomodou, ela estava decidida a nunca mais pôr a mão no volante de um carro. O processo foi encaminhado para a Vara de Execuções de Penas Alternativas. Eu sabia que o juiz não a condenaria a uma pena privativa de liberdade.

Informei dona Neide do resultado do processo dizendo que ela estava livre como um passarinho, eu jamais diria isso para nenhum outro cliente, mas sabia que ela gostaria da frase.

Dona Neide me deu um abraço e um beijo, perguntou, o senhor acha que agora eu posso comprar um celular novo?

No fim do dia Raul passou no meu escritório para me falar das declarações, na polícia, do primeiro membro do Clube dos Bibliomaníacos a comparecer, o Heitor de Oliveira Gomes.

Pensei, disse Raul, que ele ia aparecer com um advogado, mas ele foi sozinho. O cara é uma pedra de gelo e tem colhão. Contou, com aquela voz cavernosa dele, toda a transação financeira feita com o Ledoux, disse que conhecia o francês e simpatizava com ele, que havia comprado vários livros na Antique, que não queria que a livraria fechasse. Que nunca se interessou pela contabilidade do negócio, cujos lucros eram modestos. Meu colega, o Walter, mencionou o problema do Imposto de Renda e ele respondeu, sempre tranquilo, que aquilo estava prestes a ser resolvido com a Receita, no Ministério da Fazenda.

Alguns dias depois, Raul me deu uma notícia espantosa. Seu cliente morreu. Que cliente?, perguntei.

O francês Ledoux, ladrão de livros. Hoje pela manhã, ao chegar à loja, a faxineira deparou com o corpo de Ledoux caído em frente ao cofre, que estava aberto. Ele foi assassinado a tiros, como o anão.

Puta que pariu. Lembrei-me de Ledoux usando a sua bombinha para asma, andando com dificuldade, tendo tonteira a todo instante. Lembrei-me de ter contado a Karin minha conversa com Ledoux, e logo em seguida ele fora assassinado.

Para aumentar meu sofrimento, Raul telefonou dando-me uma notícia que me deixou muito perturbado. O anão foi visto pegando um carro em frente à casa da Karin Altolaguirre na véspera do dia em que apareceu morto. Vou ter que ir lá, conversar com ela.

Raul, me dá duas horas para eu ir lá antes, preparar o espírito dela. Duas míseras horas. Está bem, ele respondeu. Duas horas.

Liguei para a casa de Karin. Atendeu uma voz de homem, que se identificou como o pai dela. Senhor Altolaguirre, eu disse, é um assunto urgente, eu tomarei apenas dois minutos do tempo de Karin. Por favor. Altolaguirre disse que ia consultar a filha. Pouco depois voltou ao telefone dizendo que Karin me receberia.

Quem abriu a porta para mim foi Altolaguirre. Entre, doutor Mandrake. Ficamos os dois na sala, ele me fitando com um olhar curioso. Vamos para a minha biblioteca, ele disse.

Acompanhei-o. Sente-se, por favor. Quer beber alguma coisa? Não, obrigado. Por favor, diga a dona Karin que eu já cheguei. Ela não está, foi para Novo Hamburgo, para a casa das tias. A mãe dela era alemã, o senhor sabia? Emigrou com a família para o Brasil.

Levantei-me da cadeira.

Um momento, doutor. O senhor disse que queria falar uma coisa urgente com ela. Altolaguirre pegou o telefone. Vou ligar para ela, em Novo Hamburgo.

Não, por favor. Não é um assunto que possa ser falado por telefone.

É uma coisa tão séria assim?

Eu precisava desabafar, quem melhor do que o pai de Karin para entender o meu sofrimento? Falei que o anão fora visto saindo da casa de Karin e entrando num carro na véspera do seu assassinato.

Daqui? Quem viu?

Eu mesmo, falei, para não deixá-lo preocupado antes do tempo, pois pretendia ligar para Raul e dizer que Karin estava no Sul e assim a aflição do pai poderia ser postergada. Doutor Mandrake, venha comigo, ele disse, fazendo um gesto para que eu o acompanhasse.

Fui com Altolaguirre até o salão onde ficavam os seus livros. Ele abriu uma porta que ficava quase escondida entre duas estantes e que eu não notara quando estivera ali antes. Aqui é o meu lugar secreto, disse. Doutor Mandrake, o senhor sabia que as paixões secretas são as mais fortes?

Eu estava perplexo com o que acontecia e ao mesmo tempo ansioso para sair. Altolaguirre tirou uma chave do bolso e abriu outra porta. Ninguém além de mim entra aqui, doutor Mandrake, o senhor está tendo um privilégio que não concedi a nenhuma outra pessoa. Entre, por favor.

O lugar estava inteiramente às escuras. Notei que a temperatura do ambiente era climatizada. Altolaguirre acendeu as luzes. Minha paixão secreta, ele disse, com orgulho.

Era uma sala pequena, as paredes cobertas de estantes repletas de livros, de vários formatos e de lombadas de diversas cores. No meio da sala, uma mesa sobre a qual se via um abajur.

Você?, eu disse atônito, ao entender tudo.

Sim. Mas você não vai sair daqui vivo para contar a história.

Por um momento fiquei sem saber o que dizer. Tinha que ganhar tempo, Raul ia chegar a qualquer momento. E um advogado criminal nunca entra em pânico. Sente medo, mas não entra em pânico. Altolaguirre tirou um revólver que tinha na cintura, escondido pelo casaco. Vou matá-lo, terei um grande prazer em fazer isso. E você vai aparecer morto com um tiro na cabeça, e ninguém vai suspeitar da minha filha, que está no Sul.

Ganhar tempo. Tinha que fazer o sujeito falar, ele era do tipo de pessoa que gostava de falar, de ouvir a própria voz.

Você estava com sua filha em Chillán e trouxe o incunábulo, não foi? Exatamente, ele respondeu. Um último pedido, eu disse, você poderia me mostrar a Bíblia da Mogúncia?

Vá até aquele armário, apanhe um par de luvas e calce as luvas. Naquela estante ali pegue os dois volumes grossos e traga-os para esta mesa. Fiz o que ele mandou, muito devagar. Ganhar tempo, ganhar tempo, essas duas palavras martelavam na minha cabeça.

Eis a Bíblia da Mogúncia. É minha, ele disse, triunfalmente.

Ao dizer isso, colocou a mão esquerda aberta sobre o próprio peito.

Por que este é um livro tão raro?, perguntei. E o que o atrai nele, além de ser uma Bíblia Sagrada, cujo texto pode ser obtido facilmente? Será que o senhor poderia me explicar isso?

O que me seduz é a mística da sua raridade, sua história, todos têm uma saga fascinante, não existe livro com mais de trezentos anos – que são os que me interessam – que não tenha uma história fantástica. Sinto um prazer especial em ter nas mãos algo raro, de grande valor, que ninguém, ou apenas alguns felizardos, possui. Capturar um livro realmente raro, coisa que às vezes levo anos para conseguir, é uma conquista que me propicia um prazer inigualável. É um furor, uma paixão desvairada. E não se esqueça do que acabei de lhe dizer, que as paixões secretas são as mais fortes, mais ainda do que as que um homem pode sentir por uma mulher. Nunca senti uma emoção tão grande quanto a que me dominou ao ter nas mãos a Bíblia da Mogúncia. Para que a Biblioteca Nacional precisava de duas? Eu tinha que ter uma das bíblias que saíram da prensa de Gutenberg, eu daria toda a minha fortuna para tê-la, mas elas não estavam à venda, entendeu? Todas em museus, ou em bibliotecas onde você não as pode acariciar, nem cheirar, demonstrar o seu amor por elas, quando muito pode vê-las atrás de um vidro grosso. Eu estava disposto a obter uma Bíblia saída da prensa de Gutenberg de qualquer maneira, roubando, matando se preciso. Tive que matar, afinal, lamentavelmente, mais de uma pessoa.

Altolaguirre fez uma pausa. Havia uma expressão esgazeada em seus olhos, ele olhava para mim como se não me visse.

Comecei a trabalhar com doze anos de idade, ele disse, passei fome, trabalhei como um escravo. Não tenho direito a uma alegria, um prazer na vida? Não gosto de comer, não gosto de beber, não tenho vícios, gritou.

Ganhar tempo, ganhar tempo, ganhar tempo, deixar o louco falar, loucos gostam de falar. Mas Altolaguirre fez uma pausa. Seu rosto, agora, era o de uma pessoa que acaba de sair de um surto psicótico.

Doutor Mandrake, gostei de conversar com o senhor, mas seu tempo acabou. Quer fazer alguma prece?

Sim, muito obrigado, eu disse, me ajoelhando.

Fingi que rezava. Infelizmente não sabia o texto de nenhuma prece para poder recitá-la em voz alta. Fiquei mexendo os lábios.

Altolaguirre deixara a porta da sala secreta aberta. Ouvimos então o som da campainha da rua. Altolaguire foi até a porta para ouvir melhor. Devia ser um pouco surdo.

Pela primeira vez ele deixara de apontar o revólver para mim. Levantei-me num salto e abracei um dos volumes da Bíblia da

Mogúncia. Quando Altolaguirre viu o meu gesto, seu rosto foi tomado por uma enorme perplexidade.

Você não vai querer destruir a sua Bíblia, vai?, perguntei, abrindo a Bíblia na frente do peito, curvando a cabeça e espreitando-o por trás do grosso volume. Já imaginou um projétil de revólver atravessando as páginas desta maravilha, impressa por Gutenberg no ano de mil quinhentos e sessenta e dois?

Mil quatrocentos e sessenta e dois, é um incunábulo, depois de mil e quinhentos não é mais incunábulo, corrigiu-me Altolaguirre, irritado com a minha ignorância.

Fui andando de costas e ele me seguindo, sempre apontando o revólver para mim. Passei pela sala, em direção à porta da rua, onde Raul estava tocando a campainha. Então Altolaguirre deu o primeiro tiro. Senti o impacto da bala perfurando o meu joelho e curvei-me de dor, soltando o livro que tinha nas mãos. Quase não ouvi o segundo disparo.

ANGÉLICA

Permaneci três meses no hospital, em coma. Quando recobrei a consciência os médicos permitiram que eu recebesse visitas. Raul e Weksler foram me ver. Raul estava muito calado, ao contrário de Weksler, que imediatamente me contou que Gagliardi havia sido absolvido e que a empresa farmacêutica Lobato queria fazer um acordo. Vamos ganhar uma boa grana, Mandrake.

Raul continuava calado. Perguntei pela Karin. Raul e Weksler se entreolharam. Altolaguirre, disse Weksler, faleceu dos ferimentos que recebeu na troca de tiros entre ele e o Raul. Este começou a andar pelo quarto, impaciente. Insisti, e a Karin?

Nova troca de olhares entre os dois. Quem respondeu foi Weksler: ela viajou para o exterior, não ficou nem para assistir ao enterro do pai. Porra, exclamou Raul, ela não volta mais, fugiu. E a participação dela não foi devidamente esclarecida. Você sabe que o livro de cabritilha ou lá que merda era aquilo foi roubado do museu de Chillán por ela? Mandrake, sei que você não quer ouvir isto, mas acredito que os assassinatos foram cometidos por ela e o pai a estava acobertando. Infelizmente não posso provar isso, e a filha da puta vai escapar.

Ao ouvir aquilo fui dominado por uma grande tristeza. Perdera a mulher que eu amava. Nada é tão intolerável para um homem quanto viver sem paixões, somos dominados por uma terrível solidão, sentimo-nos desamparados e vazios.

Um enfermeiro entrou no quarto e falou com Weksler algo que não ouvi. Pela familiaridade com que os dois conversaram, percebi que Weksler devia ter ficado no hospital durante todo o período em que estive em coma.

Weksler saiu do quarto. Voltou pouco depois, deixando a porta do quarto aberta.

Você tem visita, disse Weksler.

Então Angélica apareceu na porta. Temos que ir embora, disse Raul. Depois a gente volta, disse Weksler. Os dois se retiraram.

Angélica sentou-se na minha cama e pegou na minha mão.

A BENGALA SWAINE

LOUCURAS DE MAIO

Weksler costumava dizer que o mês de maio era um mês de loucuras. Creio que inspirado num slogan publicitário que uma loja usava quando fazia a liquidação anual das suas mercadorias, uma coisa antiga, do tempo em que ele era jovem. Ou então porque maio era o mês em que mais pessoas se casavam, o que para Weksler era uma loucura.

Era o dia primeiro de maio e eu estava na festa da condessa Sforza quando Mariza Frota se aproximou de mim com uma taça de champanhe na mão esquerda, o anel de brilhantes rutilando no dedo, e perguntou quando vamos ter aquela nossa conversa? Eu apenas sorri. Logo, com um copo de suco de tomate na mão, se aproximou de nós Bárbara Hermans, uma amiga com quem Mariza costumava fazer escaladas pelos picos do mundo, uma loura alta e bonita. Mandrake, quando é que você vai fazer uma escalada com a gente?, perguntou Bárbara. Quando for a do Everest, respondi. Não vai demorar muito, não é Mariza? Pode desistir, Bárbara, Mandrake é um sedentário, igual ao meu marido. Fui salvo pela condessa, que me pegou pelo braço dizendo, vocês me emprestam o doutor Mandrake per un istante, e me levou para outra sala.

A condessa Caterina Sforza era uma italiana de cerca de sessenta anos, educada desde pequena num desses colégios suíços de filhas de milionários. Descendia de uma filha bastarda do duque Galeazzo Maria Sforza, também chamada Caterina, uma mulher audaciosa que participou da conspiração para matar o papa Alexandre VI, tendo sido presa e trancafiada no castelo Sant'Angelo. Isso aconteceu no século XV. A condessa tinha um anel com a insegna araldica dos Sforza. Eu conversava muito com ela sobre Milano, o café expresso na Galleria Vittorio Emanuele — um dia eu estava sentado num café da galeria contemplando una bella ragazza e tomando o melhor espresso corto do mundo, aquele que servem em Milão, quando um pombo fez cocô no meu casaco novo. Conversávamos ainda sobre o Duomo, o Scala e, evidentemente, o Castello Sforzesco.

Mandrake, disse a condessa, o sujeito se jogou na frente da minha lancha, faz um acordo, eles querem quinhentos mil, questo è un assurdo, oferece cem mil e nem um centavo mais. Eu havia dito à condessa que no dia seguinte a família do morto ia ao meu escritório. A certa distância, impecável no seu smoking, Orlov, o secretário da condessa, um sujeito soturno de nacionalidade indefinida, com uma barbicha a la Rasputin-de-cinema, observava a condessa conversar comigo. Diziam que Orlov era capaz de matar alguém se a condessa ordenasse.

A condessa teve que dar atenção a outros convivas e eu caminhei pela sala, apoiado na minha bengala. Estou andando de bengala desde que um maluco me deu vários tiros e arruinou a minha perna direita irremediavelmente. Durante algum tempo tive que andar numa cadeira de rodas, empurrado por uma atendente. Quando saí da cadeira de rodas e passei a andar apoiado numa bengala, amigos e clientes começaram a me dar bengalas de presente, ganhei bengalas retráteis de alumínio escuro, bengalas de junco, de mogno, de carvalho, de nogueira e outras madeiras de lei, bengalas com anilhas de metal precioso e castões variáveis, curvos, em T, em concha, art déco de prata lavrada, art nouveau com incrustações de pedras coloridas, de osso ou marfim entalhados, até mesmo uma bengala-

-estoque Swaine com uma lâmina de aço embutida, na verdade uma arma mortífera, fabricada há mais de duzentos anos na Inglaterra pela Swaine Adeney Brigg, uma raridade que me foi presenteada por Helder Frota. Weksler falou que esses presentes eram ações motivadas pela Schadenfreude, estavam todos, dissimuladamente, se regozijando com o meu estropício. Um sentimento horrível desses só poderia ser definido por uma palavra alemã, acrescentou Weksler, ele não perdoava aos alemães aquela história dos seus parentes sacrificados no Holocausto. Tenho todas as bengalas expostas num móvel na minha sala de estar, um porta-bengalas que mandei fazer especialmente para isso, no qual o Weksler pediu para eu mandar gravar a palavra SCHADENFREUDE para não esquecer como são os meus semelhantes. A bengala que mais uso é uma de mogno, com anilha e cabo de prata em concha. Eu estava com essa bengala na festa da condessa.

    Procurei a condessa para me despedir dela e nesse momento o casal Frota se aproximou e Helder me deu um abraço. Eu o conheci quando ele teve um cartão de crédito clonado e o nosso escritório, na verdade o Weksler, cuidou do problema. Eu gostava do Frota, admirava a sua elegância e a sua cultura. Quando me despedi de Mariza, ela chegou o rosto para a frente pra ser beijada, mas eu apenas apertei a mão dela. Quando estava com os dois simultaneamente, eu sentia um certo mal-estar. Quando ia saindo, Bárbara, do fundo da sala, acenou se despedindo.

    Fiquei em casa sentado numa poltrona sem saber o que fazer, ver um filme na tevê, ler um livro ou dar uma olhada nas primeiras edições dos jornais na internet. Fiquei pensando por que havia comido a condessa, sempre preferi as mulheres com trinta anos, a condessa tinha sessenta. Não foi porque ela era condessa, eu não dava bola para isso, se uma rainha qualquer, da Holanda, da Espanha, essas mais gostosas, quisesse foder comigo eu tirava o corpo fora; foi por causa do Castello Sforzesco, Milano, da Galleria

Vittorio Emanuele, do espresso corto, do Scala? Porra, eu não gosto tanto assim de ópera, então por quê? Acho que foi porque ela quis muito dar para mim e nós estávamos sozinhos e naquele momento baixou o espírito do Zorba, temos que comer todas as mulheres que querem dar para a gente, pelo menos uma vez, uma espécie de dever moral. E a condessa era velha mas ainda dava um bom caldo.

Tomei uma garrafa de Periquita e, quando aquela sensação boa de embriaguez tomou conta de mim, fui para a cama dormir. Álcool dá sono, mas dura pouco. Antes das cinco da manhã eu estava acordado, tomei banho, me vesti, li os jornais na internet. Quando saí deviam ser umas nove da manhã, um pouco tarde para os meus padrões. Ao atravessar a praça para pegar o táxi, notei os moleques jogando bola, as babás com as crianças, os velhos e velhas em cadeiras de rodas e suas acompanhantes vestidas de branco, os vagabundos sujos descansando nos bancos e, ao passar apoiado na minha bengala perto da mulher que dormia todo dia na praça, ela me disse, como fazia sempre, bom dia, coronel, foi ferido na última guerra?, doeu muito?, e eu respondi um pouco, mas na verdade tinha doído muito e a minha guerra não tinha acabado.

Cheguei ao escritório e fiquei revendo o caso do sujeito morto pela lancha da condessa. Eu conseguira uma certidão do Hospital Miguel Couto dizendo que Carlos Lamego fora internado três vezes no hospital por tentativa de suicídio: dose excessiva de barbitúricos, corte dos pulsos e, finalmente, por ter se atirado na frente de um carro em movimento. Tinha ainda um documento que comprovava que Carlos fizera um seguro de vida. Seguro de vida nunca abrange a morte por suicídio. Eu ia alegar em juízo que Carlos Lamego estava mergulhado nas águas do mar sem poder ser visto por quem dirigia a lancha e, quando o barco se aproximava, veio à superfície para ser, deliberadamente, atingido. Um plano insidioso para que a família, além de receber o seguro, tivesse direito a uma indenização pela morte dele.

Eram três os membros da família Lamego que compareceram ao meu escritório. O pai, a mãe e uma filha, de nome Manuela. O pai, ao contrário do que ocorria nas famílias portuguesas, não dava as ordens. Quem fazia isso era a filha, agressiva e inteligente. A velha não abria o bico. Tirei a certidão do Hospital Miguel Couto da gaveta e exibi para eles dizendo, lamentavelmente para todos nós, Carlos conseguiu seu intento na quarta tentativa. Doutor Mandrake, alguém se suicida jogando-se na frente de uma lancha?, algum juiz vai acreditar nisso?, perguntou Manuela, com um sorriso irônico. Respondi que Carlos havia feito um seguro de vida, que no seguro havia uma cláusula que excluía a indenização em caso de suicídio, o juiz pode ser convencido a acreditar que a morte não foi acidental, mas uma cavilosa armação. Ofereci a eles, para encerrar o assunto, os cem mil da condessa. O pai começou a falar, certamente para aceitar a proposta, mas a filha o interrompeu, levantando-se e dizendo que a proposta era ridícula e a conversa estava encerrada.

Logo depois que os Lamego saíram, Weksler entrou na minha sala. Expliquei a ele o que havia acontecido, mas meu sócio estava mais interessado no problema da nossa falta de secretária. Um escritório com o nosso movimento precisa de uma secretária, porra, ele disse. A melhor candidata que aparecera eu não havia aceitado, alegando, segundo ele, que era uma velha, que as velhas eram ranzinzas, cheias de cismas, e que eu não queria outra pessoa ranheta no escritório além dele.

Raul me telefonou. Passo aí ou você passa aqui?

O delegado da Homicídios chegou em pouco tempo. Disse que ia me contar uma história que me interessava. Um sujeito chamado Enrico Schipa, italiano, recém-chegado ao Brasil, aparecera morto num hotel três estrelas de Copacabana. A arrumadeira, estranhando o aviso de "não incomodar" pendurado durante muito tempo na maçaneta, bateu na porta, entrou e encontrou o cadáver.

Ele tinha uma carteira no bolso com dois mil dólares, sua mala de viagem fora toda revirada, quem o matou estava procurando alguma coisa que não era dinheiro, provavelmente papéis que queimou na banheira, onde havia um montão de cinzas. Estava morto havia cerca de quarenta horas.

E o que eu tenho com isso?

O detetive que foi ao local fuçou a cesta de lixo do apartamento e encontrou um papel com o nome e o endereço da sua amiga, a condessa Sforza. Vou ter que falar com ela, você quer ir comigo?

O apartamento da condessa ocupava uma cobertura de frente para o mar. Da sua varanda dava para ver com nitidez as ilhas Cagarras. Um iate branco cortava lentamente o oceano azul. Ela nos recebeu à beira da piscina.

Enrico Schipa?, disse a condessa, com um sorriso, ninguém se chama Enrico Schipa. Ou ele se chama Enrico Caruso ou então Tito Schipa, querem ouvir as gravações? Raul mostrou a ela o passaporte do morto e a condessa, depois de um exame superficial, disse que o documento devia ser falso. Ela não sabia explicar como o seu nome fora aparecer num papel jogado na lata de lixo do morto, questa è una domanda alla quale nessuno trova risposta. Você é uma pessoa conhecida, eu disse, na Itália ele deve ter ouvido o seu nome e anotou. Anotou para quê?, perguntou Raul, e por que jogou na cesta de lixo? Ninguém com esse nome a procurou, condessa? Mi scusi, Lei come si chiama? Raul, respondi, o nome dele é Raul, ele é o delegado da Homicídios, quer saber se alguém chamado Enrico Schipa a procurou, eu disse com certa impaciência, a condessa falava e entendia muito bem português e Raul começava a perder a paciência. Alguém procurou a senhora ou não?, perguntou Raul de novo, agora irritado. Orlov, ela disse, elevando um pouco a voz. Como num passe de mágica, Orlov apareceu e assegurou que ninguém chamado Enrico Schipa havia procurado a senhora condessa, nem pessoalmente nem por telefone. Mas e o nome da senhora escrito num papel na lata de lixo?, insistiu Raul. Cosa possiamo concludere su quello?, perguntou a condessa, unindo as pontas dos dedos e balançando as mãos num gesto bem italiano.

Mandrake, perguntou Raul, no carro, voltando para a cidade, você não gostaria de morar num apartamento igual ao dessa puta velha italiana, ter diariamente à sua frente aquela paisagem deslumbrante? Respondi que Caterina não era uma puttana, era uma condessa das mais ilustres, e que a tal paisagem fascinante era para desfrute das visitas, mero exibicionismo, ninguém aguenta ver aquela coisa monótona. Eu gosto das paisagens da nossa cidade, disse Raul. Respondi que a cidade para mim eram as pessoas, se me pedissem para descrever a minha cidade eu falaria das pessoas. Nem praias, nem montanhas, nem árvores, nem ruas, nem casas, falaria das pessoas.

Meu celular tocou. Eu odiava telefone celular, mas acabei tendo um, como todo mundo. Era o Weksler. Preciso falar com você um assunto sério, ele disse, é urgente, estou esperando aqui no escritório, loucuras de maio, Mandrake.

Quando cheguei ao escritório notei logo o nervosismo de Weksler. O doutor Medeiros, o famoso advogado, estava sendo chantageado por uma jovem de nome Jéssica, que ameaçava acusá-lo de estupro. Medeiros diz que a mulher fez espontaneamente uma felação nele, depois limpou o esperma no vestido e foi embora. A garota diz que tem a profissão de modelo, agora toda putinha diz que é modelo. Conheço uma história parecida, eu disse. Todo mundo conhece, disse Weksler. A garota tem dezoito anos e, segundo Medeiros, rosto angelical, e se diz modelo de profissão. Está com um forte hematoma no olho, que diz ter sido causado por Medeiros no momento do estupro. Uma pesquisa de DNA vai confirmar que o sêmen no vestido é de Medeiros. Acompanhada do advogado, um tal de Osmar, essa Jéssica foi ao escritório de Medeiros, exibiu o olho inchado e disse que se dentro de três dias ele não pagar um milhão ela vai procurar uma dessas delegacias da mulher para acusá-lo de estupro, afirmando que foi ao escritório dele para fazer uma consulta jurídica e que Medeiros, a sós com ela no escritório, obrigou-a, mediante violência, a fazer sexo oral com ele. Ele jura que não estuprou a garota, que não a ameaçou nem agrediu. Medeiros é um velho pedófilo, há muitos anos teve um caso, felizmente abafado, com uma menor, mas estuprador ele não é. Medeiros é pedófilo?, perguntei, Weksler, você nunca me contou isso. Esqueci, Mandrake. Ele quer saber a nossa opinião. Vamos dar um pulo no escritório dele. Ele nos convidou para almoçar.

O doutor Medeiros para mim sempre foi um mito. Nunca o vi, sempre falei com ele pelo telefone. O doutor Medeiros sabia tudo sobre direito, inclusive direito criminal, mas sua especialidade era direito comercial e seus pareceres jurídicos valiam ouro, por isso ficou milionário.

O escritório do doutor Medeiros ocupava três andares na praia de Botafogo. Uma secretária, depois de dizer que o doutor Medeiros estava numa reunião e que não demoraria, introduziu-nos na sala dele. Era uma sala imensa, com uma janela de vidro enorme e circular, nem sei se era o caso de chamar aquilo de janela, parede de vidro é melhor, que permitia uma visão panorâmica fantástica do mar, da praia e das montanhas.

O doutor Medeiros não demorou. Era um homem alto, elegante, cabelos brancos abundantes penteados para trás. Não tinha nada do velho advogado que de tanto permanecer sentado fica barrigudo e de bunda grande. Apertou a mão do Weksler dizendo, Lejb, você precisa vir mais aqui no meu restaurante almoçar comigo. Depois, virou-se para mim e disse, então o senhor é o doutor Mandrake? Fui muito amigo do seu pai. Vamos almoçar?

O restaurante particular do doutor Medeiros exibia o mesmo panorama. Apenas umas cinco mesas, devia ser para entreter as visitas importantes, além de nós não havia mais ninguém. Sei que você gosta de tintos portugueses e pedi ao meu maître para caprichar. O maître se aproximou e me disse que escolhesse entre um Monte Velho premiado no concurso internacional Wine Challenge, de Londres, um Alicante também premiado no mesmo concurso, e um Esporão Reserva que havia recebido medalha de ouro no concurso de 2004 do Wine Magazine. Há tintos portugueses de melhor qualidade, mas só hoje pela manhã o doutor Medeiros me falou para procurar vinhos portugueses, esses foram os melhores que encontrei. Estão ótimos, respondi, uma seleção excelente, obrigado. Escolhi o Esporão. Weksler e o doutor Medeiros estavam no uísque e iam continuar.

Durante o almoço (comi carne, Weksler uma massa e o nosso anfitrião uma salada, ele se cuidava), o doutor Medeiros contou a sua história. Ele acabara de realizar uma palestra sobre sociedades anônimas na Federação das Indústrias quando uma jovem se aproximara dele dizendo que era sua admiradora — como se ele fosse algum astro do cinema ou da televisão. Fiquei atraído por ela. Por quê?, não sei, a juventude, certamente, o frescor da idade. Resumindo, convidei-a para vir aqui ao escritório almoçar comigo, provavelmente queria impressioná-la. O resto da história vocês conhecem. Havíamos marcado um encontro para o dia seguinte, mas ela telefonou já para fazer a sua proposta. Estou pensando em pagar o que eles pedem, como disse ao Weksler, mas vocês vão negociar, de maneira que eu fique imune a toda nova investida que ela queira fazer. Vocês são bons nisso.

O doutor Medeiros fez um gesto e o garçom se aproximou com uma caixa de charutos Partagas, robustos, D-4. O Weksler me garantiu que são os seus preferidos. Peguei dois. Vou levar um para o meu amigo Raul, disse, enquanto acendia o charuto.

Jéssica deixara os telefones para Medeiros entrar em contato com ela. Um dos telefones era o dela, o outro o do advogado Osmar. Liguei para o Guga e disse para ele grampear os telefones vinte e quatro horas por dia.

O mês de abril havia sido tranquilo, mas estávamos em maio. O caso da condessa se complicou quando Raul descobriu que Enrico Schipa era um jornalista freelancer que trabalhava para revistas e tabloides escandalosos. O nome dele era mesmo Enrico Schipa, o sujeito devia estar levantando algum podre da condessa. E o caso Medeiros também complicou quando o Guga, depois de dois dias de escuta, me trouxe a gravação que fizera dos telefones de Jéssica e do advogado.

Pouco depois que entrei em casa, minha terapeuta chegou. Ela ia ao meu apartamento uma vez por semana. Pode ir tirando a roupa, doutor, ela disse. Fiquei nu, na cama, acariciando de leve o meu pênis, olhando ela se desnudar e ficar apenas de sapatos. Seu corpo era lindo. Ela só tirou os sapatos depois de sentar-se na cama. Já namorei uma garota que era um pouco vesga, outra que era meio surdinha e outra, há não muito tempo, que era gaga, mas essa sumiu no mundo desde que o pai me deixou aleijado, a última notícia dela veio num cartão-postal de Danang, lá dos confins, mas não namorei nenhuma com deficiência física igual à de Helena, cuja perna esquerda era dois centímetros mais curta do que a direita e que por isso usava sempre sapatos com palmilhas e saltos especiais, do contrário mancaria de maneira horrível. Usava, permanentemente, calça comprida. Helena era minha primeira namorada com defeito físico e Mariza minha primeira namorada casada. Agora eu tinha uma de cada.

Estava com saudades de mim?, perguntou Helena, deitando-se ao meu lado. A terapia da minha perna ela sempre deixava para depois.

A EXTORSÃO

Gravação de Guga:

HOMEM: Ele vai pagar?

MULHER: O escândalo será um horror para ele, perde a clientela, perde a mulher, que além do mais vai arrancar o couro dele. Um milhão é até pouco.

HOMEM: Você é uma maravilha, como foi conseguir que aquele velho brocha ficasse de pau duro e ainda por cima gozasse?

MULHER: Tenho os meus truques. Dei a ele um prazo de três dias, se não pagar eu vou me queixar na polícia, numa dessas delegacias da mulher. Até lá o hematoma ainda vai estar na minha cara e a porra resiste ao exame de DNA por prazo indefinido.

HOMEM: Você é um gênio, garota.

MULHER: Ele não perdeu a pose, fingiu tranquilidade, mas estava muito preocupado. Por falar nisso, você me deu uma porrada firme, boa, gostei. Eu gosto de me ver assim no espelho.

HOMEM: Eu sei que você gostou, sua putinha.

MULHER: Vem cá, não é perigoso a gente ficar falando essas coisas no telefone?

HOMEM: Você tem razão. Tchau.

Foi uma armação bem-feita pra cima do Medeiros, disse Weksler, a acusação de estupro pode ser derrubada com essa gravação do

Guga, mas e o escândalo? Você conhece a mulher do Medeiros, a dona Cidinha? Eu se fosse casado com ela também me tornava pedófilo, sabe qual é o apelido dela? Górgona, sabe aquele terrível monstro mitológico que amedrontava homens e deuses? A górgona tiraria mesmo, como diz a chantagista, o couro dele. O doutor Medeiros tem razão, melhor pagar e resolver logo o assunto.

Liguei para o doutor Osmar e disse que queríamos "fazer o negócio", que ele viesse ao meu escritório com a Jéssica e o vestido. Pedi o número da carteira de identidade e do CPF dela.

O rosto de Jéssica era mesmo angelical, ela parecia ter uns quinze anos. Usava um piercing na língua. Será que foi isso que excitou o Medeiros? Uma novidade perversa, uma garotinha com um piercing na língua chupando o pau dele. Osmar era um sujeito jovem, com o físico de quem malha diariamente numa academia. Os dois deviam ter tatuagens em algum lugar do corpo, a dela devia ser logo acima do cóccix, naquele lugar que aparece quando a cintura do jeans é baixa e um pedacinho da calcinha surge sublinhando a anca. Isso dá tesão nos homens. A tatuagem dele devia ser no braço ou na omoplata.

Depois que eles se acomodaram nas cadeiras em frente à minha mesa, eu disse que antes de mais nada queria que ouvissem a gravação do Guga e coloquei a fita no gravador. Eles ouviram calados até o fim, quando Jéssica rompeu o silêncio. Que merda, Osmar, eu falei para a gente não conversar essas coisas no telefone. Ela era obviamente a mais esperta dos dois, devia ter armado o esquema. Onde está o vestido manchado? Jéssica tirou da mochila um vestido de saia curta, de seda. Vi a mancha na saia, guardei o vestido na gaveta da minha mesa, o vestido não tinha importância, o que interessava era a declaração que ela ia assinar em seguida. Agora você vai ter que assinar este documento que vou ler. Declaração: a abaixo assinada, Jéssica Pires Chaves, brasileira, solteira, modelo, carteira de identidade número tal, CPF número tal, declara, para os devidos fins, que não conhece pessoalmente o doutor Carlos Medeiros, carteira de identidade número tal, CPF número tal, que nunca visitou o seu escritório. Que sofreu, devido a uma briga com o namorado, Osmar de Freitas, uma contusão sobre a órbita direita. Que o referido é verdade absoluta e qualquer afirmação em contrário é totalmente falsa. Põe a data embaixo e assina o nome por extenso, Jéssica Pires Chaves. Me dá a sua carteira de identidade e o CPF, para eu conferir com o documento.

Tirei um grosso envelope pardo da gaveta. Aqui está o dinheiro, em notas de cem, podem verificar. Não é preciso, disse Osmar. Mas Jéssica pegou o dinheiro e contou as notas meticulosamente. Quando acabou, pôs o envelope dentro da mochila. Foi bom fazer negócio com o senhor, ela disse. E os dois foram embora, muito satisfeitos.

Raul me telefonou. A Interpol confirmou que o passaporte do Schipa não é falso. É o que a gente já estava achando: não foi um ladrão quem matou o Schipa, a carteira dele estava cheia de dinheiro. E aqueles papéis queimados na banheira eram o quê, afinal? Esses granfas todos têm os seus podres, o cara descobriu alguma coisa sobre a condessa e ia publicar na Itália. A condessa não mandaria matar ninguém, eu a conheço de longa data, inventa outro cenário, Raul, eu disse, desligando o telefone.

Weksler entrou na sala acompanhado de uma jovem de óculos de fundo de garrafa que aumentavam ainda mais os seus olhos esbugalhados. Weksler a apresentou dizendo que era Maria Emília, a nova secretária. Ela começa hoje mesmo. Espero agradar, ela disse timidamente antes de sair do meu escritório. Medeiros está feliz com a solução do problema, disse Weksler, a górgona ia crucificar ele.

Por volta das sete, apoiado na minha bengala, saí do escritório. Ao chegar à rua, disposto a pegar um táxi, ouvi uma buzina insistente. Era Mariza, ao volante do seu carro. Aproximei-me. Entra, ela disse. Entrei. Você prefere ir para a sua casa ou para a minha? O Helder está nos Estados Unidos, só volta na semana que vem. Eu já tinha ido outras vezes à casa dela quando Helder viajava. Os lençóis da cama de Mariza eram de seda. Anda, responde, para a minha ou para a sua? Vamos para a minha, respondi. Você está me evitando?, perguntou Mariza. (Por causa do amor que sentia por uma mulher cheguei a pensar em ir à Disney World e tirar retrato abraçado ao Mickey Mouse. Por Mariza eu nem sequer cogitaria uma coisa dessas.) Não estou evitando você, eu disse, gosto de você. Ela respondeu, sou a mulher mais feliz do mundo, tenho um marido e um amante maravilhosos, era tudo o que eu queria no mundo. Brinquei, o sonho da minha empregada é comprar uma casinha no subúrbio com um pé de manga.

Quando chegamos à minha casa, Helena estava me esperando na porta. Eu havia esquecido que aquele era o dia dela. Por alguns momentos fiquei sem saber o que dizer. Esta é a minha fisioterapeuta, falei afinal. As duas se olharam friamente. Depois eu telefono para marcar outra hora, disse Helena.

Bonita, a sua fisioterapeuta, disse Mariza assim que entramos. Mariza, eu disse, estou tendo um caso com essa moça, não posso mentir para você. Acho que devemos nos separar, além do mais você é casada, eu jamais gostei de mulher casada. Depois de um silêncio, Mariza, num tom de voz diferente, disse, não me importo se você anda fodendo com outras, desde que não deixe de me foder. Não sei, respondi, é melhor a gente acabar. Você disse que eu era a melhor mulher que você conheceu na cama, que ninguém chupava o teu pau igual a mim. Mariza, ouve, é melhor nós acabarmos. Por favor, Mandrake, uma última vez.

Passamos a noite fodendo. Acordei cedo, como sempre. Mariza também acordou quando saí da cama. Então, querido, mudou de ideia?, ela perguntou. Não, Mariza, acabou mesmo. Nunca nenhum homem me abandonou, é humilhante, ela disse. Sinto muito, Mariza. Vai embora que eu quero dormir mais um pouco, ela disse. Posso pelo menos dormir mais um pouco? Mariza cobriu a cabeça com o lençol.

 Peguei minha roupa, os sapatos, as chaves e fui me vestir no banheiro, não queria voltar para o quarto e ouvir choradeiras ou recriminações. Minha empregada Vavá (abreviatura de Valdineia) era discreta, se a porta da suíte estivesse fechada ela ficava trabalhando na sala, na cozinha e na área de serviço, limpando e arrumando, era fanática por limpeza, dava para andar descalço pela casa que a sola do pé não sujava nem um pouco.

A IMPOSTORA

Quando cheguei ao escritório, Maria Emília, a nova secretária, estava arrumando a minha mesa. Ela havia chegado às sete horas. Uma moça que se identificara como Helena havia telefonado. Eu disse a Maria Emília que não precisava chegar tão cedo e ela respondeu que queria chegar antes de mim para arrumar as coisas. Expliquei que eu chegava cedo porque a minha perna doía quando eu estava deitado. Outra coisa, dona Maria Emília, por favor, não arrume a minha mesa, sei que está uma bagunça de papéis por todo lado, mas se eles forem arrumados eu estou perdido.

Liguei para Helena. Quem é aquela mulher? Você disse que eu era sua fisioterapeuta, sentiu-se na obrigação de justificar para aquela vadia a minha presença na sua porta mas não teve comigo a mesma consideração, dizendo esta aqui é dona fulana. Respondi que era uma cliente e expliquei que ela e o marido estavam em meio a um divórcio litigioso, os dois eram meus amigos e para ver se conseguia uma reconciliação eu combinara um encontro com eles em minha casa, o marido chegara logo depois. Helena perguntou como era o nome da cliente e do marido e eu disse o nome deles, Helder e Mariza Frota. Dúvida de todo mentiroso: quando a gente mente é sempre bom que metade da mentira seja verdadeira ou é melhor que tudo seja mentira? Sei quem são eles, disse Helena, posso passar no seu apartamento hoje à noite?

Não existe nada pior do que secretária nova. De quinze em quinze minutos Maria Emília abria a porta dizendo com licença com sua voz quase inaudível e fazia uma pergunta, como devia fazer isso, fazer aquilo. Para preparar um cafezinho foi um sofrimento, e nós tínhamos uma máquina italiana de café expresso que era uma maravilha. Pensei, arrependido, que uma velha rabugenta teria sido melhor. Depois de algum tempo, falei pra ela pedir instruções ao Weksler, qualquer que fosse o assunto.

A condessa me telefonou. Pediu que passasse na casa dela, pronto, pronto. Todas as vezes em que vi a condessa Sforza ela estava bem-vestida e maquiada, aparentando menos vinte anos do que sua idade real, mas naquele dia fui recebido por uma mulher de pele cinzenta, enrugada, com fundas olheiras, vestindo um penhoar que ressaltava ainda mais a sua velhice. Devia ter passado a noite bebendo champanhe Dom Pérignon, seu preferido. Estendeu-me um fax, dizendo que o recebera na noite anterior. Era a reprodução de um recorte de jornal ou revista cujo título era "Una falsa contessa smascherata". A matéria era assinada por Enrico Schipa e contava a história de Caterina Mancini, filha do maior contrabandista italiano, Giovanni Mancini. Quando morreu, o pai deixou uma imensa fortuna depositada em bancos suíços. Caterina passou a se apresentar como condessa Sforza, primeiro nos Estados Unidos, onde residiu dez anos, frequentando a melhor sociedade daquele país, e depois no Brasil, onde morava ultimamente.

Estou desmoralizada, lamentou-se a condessa, os jornais do mundo inteiro vão dar essa notícia. O jornalista, segundo ela, era un crapulone, que dizia na matéria que ela não fizera curso nenhum na Suíça, que era una analfabeta dalla testa ai piedi, e talvez fosse isso o que a deixara mais magoada, pois ela se orgulhava de falar fluentemente várias línguas. Acusá-la de ser analfabeta de pai e mãe, como fizera o jornalista, era una canagliata imperdonabile.

Levantou-se trêmula do sofá e disse, com voz roufenha, pedi ao Orlov para matar o maledetto Schipa. Vou passar o resto dos meus dias na cadeia.

Ouvi uma voz grave dizendo, a senhora condessa é inocente.

Era Orlov, que, como sempre, surgira do nada. Ajoelhou-se aos pés da condessa e disse que assumiria a culpa sozinho, que juraria sobre a Bíblia Sagrada que a condessa não sabia de nada. A condessa se ajoelhou na frente dele e os dois se abraçaram chorando. Uma cena de dramalhão italiano.

Cheguei no apartamento de Raul quando ele terminava de tomar o café da manhã. Depois de me ouvir, perguntou, a condessa não conhecia as intenções de Orlov? Raul, ela é inocente, Orlov tem por ela uma devoção canina, ao tomar conhecimento de que o Enrico Schipa queria extorquir dinheiro da condessa, matou-o sem consultar a patroa. Ela o convenceu a ir se apresentar à polícia para confessar o crime. A que horas você quer que eu compareça à Homicídios com ele?

Raul tomou um gole de café. Alguma coisa não está bem-esclarecida nesse imbróglio, como diria a sua amiga, falou, pronunciando a palavra "imbróglio" com forte sotaque italiano. Se o Schipa estava chantageando a condessa, como é que enviou a matéria para o jornal? Quer saber o que eu acho? O Schipa não estava fazendo chantagem nenhuma, procurou a condessa para dizer que sabia que ela era uma impostora. Ele já havia enviado a matéria para o jornal, mas por algum motivo deixou de mencionar isso. Os papéis que Orlov incinerou na banheira já haviam sido escaneados e enviados. Não vai ser difícil achar o centro de informática usado por ele para fazer isso, provavelmente um cibercafé das imediações. Mataram o Schipa por nada.

Porra, Raul, estou te pedindo um favor, caralho. Com a prisão do Orlov o assunto está encerrado, você solucionou um homicídio. O teu raciocínio está certo, mas para que ferrar a condessa?

Às dez da manhã cheguei à Homicídios com Orlov. Um escrivão da delegacia tomou o depoimento dele, que na verdade não se chamava Orlov, mas Giacomo Costacorta, natural de Milão.

Vai ficar me devendo uma, malandro, disse Raul, depois que o depoimento de Costacorta foi encerrado. Ele foi solto, pois, conforme meu pedido, o juiz permitiu que fosse julgado em liberdade.

Helena foi ao meu apartamento. Depois que fizemos amor com a intensidade de costume, ela me perguntou se não seria interessante morarmos juntos. Fiquei gelado, não obstante soubesse que cedo ou tarde aquilo ia acontecer. Respondi que a nossa relação estava muito boa, para que enfrentar os riscos do ramerrão do cotidiano, uma conversa mole que eu sempre usava, pois todas as mulheres com quem tive relacionamentos mais estreitos me sugeriram que morássemos juntos. Mulher ainda gosta de ter um homem dentro de casa, eu vivo falando sobre isso, pode ser um cretino, e quase sempre é, mas elas querem um macho dentro de casa. Terminei a minha arenga sobre os horrores do dia a dia a dois, acordar de cara amassada e mau hálito, os odores do banheiro, e parece que esse foi o único ponto que a tocou, pois ela disse, podemos ter dois banheiros. Acabou prevalecendo minha proposta de que esperássemos mais um pouco. Helena ficou triste com o resultado, disse, eu te amo mas você não me ama, e por mais que eu negasse ela passou o resto da noite infeliz.

Os jornais do Brasil e dos Estados Unidos fizeram um carnaval com o caso da condessa Sforza, primeira página com manchete. As televisões também, as pessoas adoram um escândalo que destrua a reputação de alguém importante. A Shadenfreude do Weksler.

A condessa pôs à venda a cobertura na praia e se mudou para seu sítio na serra das Araras.

Mas seu retiro teve curta duração. Um dia recebi um telefonema dela me convidando para almoçar num restaurante. Antes do nosso encontro, ela fora ao cabeleireiro. As mulheres têm razão de viver nos salões de beleza, os cabeleireiros fazem milagres. Estava bonita, atraente, e fez desaparecer da minha cabeça a imagem triste do nosso último encontro.

Antes de mais nada, condessa, quero lhe pedir para dizer ao Giacomo Costacorta para ir ao meu escritório, era para ele ter ido anteontem, mas não apareceu. Não o chame de Giacomo Costacorta, disse a condessa, esse não é o verdadeiro nome dele e ele não gosta que o chamem assim. Mas daqui a pouco conversamos sobre isso.

A condessa pediu champanhe Dom Pérignon. O garçom encheu as nossas taças. Num único sorvo, ela esvaziou sua taça. Finisca il suo bicchiere. Fiz o que a condessa mandava e ela encheu nossas taças novamente. Estamos celebrando alguma coisa?, perguntei. Sì, sì, due, a liberdade de Orlov e o meu convite para a televisão.

O escândalo a tornara famosa e uma emissora de televisão a cabo a contratara para fazer um programa de entrevistas que seria retransmitido na Itália. O executivo que a convidara dissera que o público de tevê adora herdeiras ricas, princesas e condessas que sejam, de alguma forma, transgressoras — adúlteras, assassinas, devassas — ou impostoras, como ela. Anotei mentalmente que ia perguntar ao Weksler se existia um nome alemão para aquele tipo de voyeurismo. A condessa fizera um teste e os organizadores do programa ficaram muito satisfeitos, sugeriram que um dos primeiros entrevistados fosse o Orlov. Loucuras de maio, como dizia o Weksler. Mas o mês ainda estava pelo meio.

Tenho uma carta para você, disse minha amiga, estendendo-me um envelope. Não se esqueça de que temos que falar sobre o Orlov, eu disse. Leia a carta, ela insistiu.

Abri o envelope. Dentro havia uma folha de papel onde estava escrito à mão, em tinta preta: *Doutor Mandrake. Muito obrigado por tudo. Graças ao senhor sou um homem livre. Cuide da nossa amada condessa Caterina. Orlov.*

Ele não é um homem livre, eu disse, está apenas aguardando o julgamento em liberdade, não sei o que vai acontecer, Orlov cometeu um homicídio. Diga a ele, por favor, para ir ao meu escritório amanhã sem falta.

A condessa encheu nossas taças de champanhe. Disse, adesso brindiamo alla salute di Orlov. Bebemos, e ela então contou que Orlov fugira do Brasil, tinha um passaporte com outro nome, nem Orlov nem Costacorta, ele era mesmo um homem livre. Depois me pediu que lhe oferecesse uma festa celebrando seu retorno triunfal ao Rio, com programa de televisão e o diabo. Marquei para alguns dias depois.

A festa em homenagem à condessa Sforza foi simpática. Como combinado, convidei apenas amigos, inclusive Raul, e umas poucas pessoas que eu não conhecia, indicadas pela condessa. No máximo trinta pessoas, meu apartamento não é muito grande. Bárbara Hermans estava muito bonita, no estilo despojado dela. Eu já havia tentado várias aproximações, mas ela fingia que não entendia de maneira tão inteligente que eu ficava desarmado. Era muito agradável conversar com ela.

Enquanto ela tomava o seu suco de tomate e eu uma taça de tinto, Bárbara me contou que em janeiro ela e Mariza haviam feito uma bela escalada do pico Humboldt. Onde fica isso? Que ignorância, Mandrake, fica nos Andes venezuelanos, todo mundo sabe. Antes de chegar ao pico passamos pela laguna Coromoto, onde acampamos, depois caminhamos oito quilômetros até a laguna El Suero e depois tivemos que subir um pouco por terreno rochoso até alcançar a laguna Verde, de onde se tem uma vista deslumbrante do pico Humboldt. Começamos a subir o pico e logo atingimos a parte gelada. Estávamos bem-equipadas para escalar no gelo e o nosso guia era perfeito. Além do mais, tínhamos o apoio de um helicóptero. Você gostaria de fazer essa escalada? Demora um pouco, tem uma certa dificuldade, mas a vista do cume, aquelas lagunas que brilham como esmeraldas verdes, é maravilhosa.

Ouvi tudo com paciência, se você está interessado numa mulher, tem que ouvir o que ela quer dizer. Então é fácil de escalar? Não, Bárbara respondeu, fácil não é, há dois anos um grupo de jovens excursionistas sem experiência sofreu um acidente trágico quando escalava o paredão norte, de cerca de quatro mil metros. Morreram todos.

Nesse momento Mariza se aproximou de nós, bebendo champanhe. Estava contando ao Mandrake a nossa excursão ao pico Humboldt, convidei-o a ir com a gente na próxima vez. Você está louca, Bárbara, disse Mariza, irritada, aquela excursão não é para amadores, já morreu um monte de gente lá, se o Mandrake quer subir algum pico que suba o da Tijuca, que tem só mil metros de altitude e trilhas que o sujeito sobe até de muletas.

O mau humor de Mariza me surpreendeu. Eu nunca a vira falar naquele tom com a melhor amiga. Acho que, na verdade, o alvo da diatribe era eu. Tentei aliviar a tensão dizendo que ia subir o Pão de Açúcar de bondinho, mas ninguém achou graça.

Nesse momento vi que Helena chegava na minha casa. Quem convidou você? A condessa? Ninguém, eu soube da festa e resolvi penetrar, quero conhecer os seus amigos. Mas não precisa me dar atenção, não se preocupe comigo.

Logo em seguida vi Helena conversando animadamente com Helder. Excetuando aquela pequena surpresa, a noitada transcorreu suavemente, num clima amistoso, em que as pessoas se embriagaram e se drogaram pouco. Helena foi embora cedo. Mariza e o marido saíram com Bárbara. A condessa ficou até o fim. Quando estávamos sozinhos, ela me abraçou apertado e perguntou se eu não sentira saudade dela. É um erro pensar que se pode comer uma dona uma vez apenas. Elas querem sempre una ripetizione.

Na manhã seguinte Maria Emília entrou na minha sala dizendo que uma moça que não dera o nome queria falar comigo. Maria Emília, respondi, não recebo pessoas sem hora marcada, diga que estou ocupado. Maria Emília saiu da sala e voltou pouco depois, dizendo que a moça estava muito nervosa, é uma menina, doutor Mandrake, está com o olho inchado, alguém bateu nela.

Olho inchado? Manda a moça entrar.

Jéssica Pires Chaves entrou na minha sala, um enorme hematoma sobre o olho esquerdo. Não era o olho direito?, perguntei. Ela fez uma pausa antes de responder. Foi outro soco, doutor, o Osmar gostava de ver as marcas que deixava no meu corpo. Fez outra pausa. Deixei ela ficar calada algum tempo e perguntei, o que foi que aconteceu? Uma desgraça. Eu matei o Osmar. Antes de você continuar, me dá um segundinho, vou chamar o meu sócio, o doutor Weksler, para participar da nossa conversa.

Weksler estava escrevendo à mão em sua mesa. Ele não usa computador nem máquina de escrever, dita seus textos para a secretária depois de escrevê-los à mão, puta que pariu, não consigo escrever à mão um bilhete com mais de dez linhas. Voltei com ele para a minha sala.

Weksler, eu disse, lembra da Jéssica? Lembro, ele respondeu, olhando para o rosto dela. Não era o olho direito? Quando eu tiver a idade do Weksler, quero que a minha cabeça esteja igual à dele. Jéssica matou o Osmar, o sócio dela na extorsão do doutor Medeiros. Conte como foi, Jéssica.

Vocês vão ser os meus advogados?

Troquei um olhar com o Weksler. Conte sua história, eu disse.

Usei veneno de rato, aquele conhecido como chumbinho. Mas não estou arrependida, ele merecia. Os senhores não sabem o que o Osmar fazia comigo sempre que fodíamos. É horrível, posso contar? Pode, no nosso trabalho só ouvimos coisas horríveis, eu disse, vá em frente. Ele era um sádico, um doente, quando fodia comigo começava me espancando, depois me punha de quatro e só fazia comigo o coito anal, sempre sem lubrificante, dizia que queria me fazer sangrar, e eu sangrava, e ele, depois que gozava, mandava eu permanecer ajoelhada e curvada, apoiada nos cotovelos, e ele então lambia o sangue do meu cu e depois dizia, olha o meu pau como está esfolado, chupa, e eu chupava o pau sujo dele e depois ele urinava no meu rosto.

Você nos dá licença, disse Weksler, eu e o doutor Mandrake vamos até a minha sala assinar um papel e voltamos logo.

Conversamos em pé, na sala de Weksler. Parece um anjo, não parece, mas quando fala aquelas coisas sórdidas só vejo a feiura das palavras, começou Weksler. Você está velho, Weksler, ainda se choca com essas coisas, às vezes, quando passo na porta de um colégio religioso perto da minha casa, na hora em que as adolescentes estão reunidas antes de entrar, só ouço porra, caralho, fiquei puta da vida, que se foda, essa é a linguagem coloquial que usam aquelas meninas. Weksler ficou pensando no que eu havia dito e depois perguntou, você acredita no que a Jéssica nos contou? Acredito nas coisas sórdidas, como você diz, respondi, Jéssica não tem imaginação para inventar aquilo, mas não acredito que achasse horrível o que o sujeito fazia com ela, e pergunto, por que só agora a paciência dela se esgotou e ela matou o cara? Deve ter alguma coisa a ver com a grana que eles tiraram do doutor Medeiros. No meu tempo, disse Weksler, as pessoas que queriam se matar ou matar alguém usavam formicida, a marca mais conhecida era Tatu, você comprava em qualquer armazém de secos e molhados, acho que até na farmácia. E também era fácil comprar veneno de rato, o mais comum era o da marca Racumin. Weksler, respondi, no seu tempo não havia barbitúricos, vê como você é velho.

Voltamos para a minha sala.

Jéssica, eu disse, a principal característica de uma boa relação entre advogado e cliente é a confiança recíproca, a sinceridade, um não mente nem omite informações do outro. Você não matou o Osmar porque ele era um sádico, você até gostava do que ele fazia. Se não fosse assim, depois da primeira vez você saía da jogada. Você começou a sua história de sofrimento perguntando, os senhores sabem o que ele fazia comigo *sempre* que nós fodíamos. *Sempre*, você usou a palavra *sempre*, era algo que se repetia, uma coisa constante. E tem a gravação do Guga em que você diz que gostou da porrada que o Osmar lhe deu, que gostava de se ver assim no espelho, com as marcas da violência dele. Quer ouvir a gravação? Jéssica disse que não queria. Então responda, por que só agora você deu veneno de rato ao Osmar? Não minta, porra. Foi por causa da grana que vocês tiraram do doutor Medeiros?

Jéssica suspirou e ficou calada. Eu e Weksler também ficamos calados. Weksler tirou um cortador de unhas do bolso e ficou cortando as unhas. As unhas de Weksler crescem de maneira anormal, diariamente ele tem que cortar as unhas.

Foi, disse Jéssica. Ele era muito burro para ter aquela dinheirama. Queria comprar uma Ferrari.

Onde foi que você achou o veneno de rato?, a venda está proibida. Ela disse que a irmã mandara o veneno de Minas, no interior ainda se compra o veneno com facilidade, e que demorou uma semana para matar o Osmar, no primeiro dia ela pôs muita quantidade do troço no estrogonofe e ele não comeu, o gosto ficou ruim, então passou a usar menos chumbinho no estrogonofe, Osmar era louco por estrogonofe, comia todo dia.

Troquei outro olhar com Weksler. Olha, Jéssica, não queremos assumir a sua causa, arranja outro advogado. Eu não confio em você, o doutor Weksler não confia, certamente foi você quem armou a extorsão para cima do doutor Medeiros, o Osmar não passava de um palerma manobrado por você. Presta atenção: ninguém precisa nem deve saber do dinheiro, some com ele, pode piorar a sua situação, vão desconfiar que o motivo foi o dinheiro, e não os sofrimentos e humilhações que alega ter sofrido. Se o nome do doutor Medeiros aparecer na história nós seremos assistentes de acusação do promotor e vamos ajudar a foder você, entendeu? Tenho aquele documento, lembre-se. E arranca a porra desse piercing da língua. Pode ir embora.

Quando ela saiu, Weksler disse, o cara que tem apenas um milhão e quer comprar uma Ferrari merece morrer com veneno de rato.

UM ASSASSINATO MISTERIOSO

O mês de maio tinha sido como sempre uma loucura, mas havia acabado. O mês das noivas, até Raul tinha se casado naquele mês, com uma vizinha dele na serra. O casamento fora numa igreja em Correias, mas eu não pude ir e fiquei sem conhecer a noiva, que nunca vinha ao Rio. Todo fim de semana Raul ia para o sítio, mas não falava mais no ranário que pretendia construir, acho que havia desistido.

Logo que cheguei ao escritório Raul me telefonou dizendo que na noite anterior, ao chegar em casa, Mariza Frota encontrara o marido morto, assassinado. A arma do crime foi uma bengala-estoque parecida com a sua. Liguei pra você ontem à noite e ninguém atendeu, onde é que você estava? Tomei um daqueles comprimidos e desliguei os telefones para poder dormir. Dormiu? Porra nenhuma, respondi. Tinha alguma mulher com você? Eu ia tomar comprimido para dormir com uma mulher no meu apartamento? Está nervosinho? Sua bengala-estoque está na sua casa? Respondi que sim.

Contei para o Weksler o que o Raul me dissera. Ele resmungou uma vez, duas vezes e disse, que merda, Mandrake, as pessoas sabem, todo mundo sabe, você achava que ia comer a Mariza Frota e ninguém ia saber? Liga e pergunta para a sua empregada se a bengala está lá. Respondi, a bengala está lá, cara, não se preocupe.

Raul me telefonou de novo. Passa aqui, Mandrake, quero trocar uma palavrinha com você.

Quando cheguei à Homicídios, Raul me esperava em sua sala com o detetive Felipe, seu braço direito. Dei o partagas para o Raul. Porra, um D-4, obrigado, eu não mereço.

Depois que me sentei, Raul disse ao Felipe para ir apanhar a bengala. Usando luvas especiais, Felipe voltou com a bengala. Era uma Swaine Adeney Brigg, era a *minha* Swaine, não havia duas iguais àquela no mundo.

Puta que pariu, é a minha bengala! Raul deu um suspiro. Felipe olhou assustado para Raul, acho que ele nunca tinha visto o chefe suspirar antes. Alguém roubou a minha bengala, Raul. Outro suspiro. Você é amante da Mariza Frota, não é? Não, não, somos apenas amigos. Mandrake, o Felipe é de confiança, você comia a dona ou não?, preciso saber. Demorei um pouco, mas acabei confirmando. As suas impressões digitais estão na bengala, disse Felipe. Quero ir ao meu apartamento, Raul, verificar se a minha Swaine está lá. Eu vou com você, ele disse, não estou gostando da sua cara. Nem eu estou gostando da sua, eu disse. Ele meteu a mão no bolso. Toma o D-4, não quero. Não chateia, Raul.

Felipe, o tira, não nos acompanhou. Ao chegarmos ao meu apartamento fui apanhar uma garrafa de Periquita. Raul estava em frente ao porta-bengalas, leu em voz alta o dístico do porta-bengalas, Schadenfreude, o prazer com a desgraça dos outros. Eu havia dito a ele o que a palavra significa. Apressadamente examinei bengala por bengala. Puta que pariu, a Swaine não estava lá.

Raul acendeu o robusto, é uma obra-prima, ele disse. Acendi um Fonseca, que também era cubano mas não da mesma categoria do D-4. Vou assistir à necropsia do Helder Frota, disse Raul, não o convido para ir comigo porque sei que você não gosta, e além disso o morto era seu amigo. O perito que compareceu ao local calcula que o assassinato ocorreu por volta das dez da noite.

A primeira pessoa que Raul interrogou foi Silvino Santos, o porteiro do prédio de Mariza. Silvino declarou que seu turno começava às seis da tarde e ia até meia-noite. A que horas o senhor Helder chegou em casa? Às oito e quinze, respondeu o porteiro, nós temos que anotar num livro a entrada e a saída dos moradores e também dos visitantes do prédio, este livro aqui que eu trouxe para o senhor ver. Raul olhou o livro e mal conseguiu decifrar os garranchos do porteiro. Veja aí a que horas dona Mariza saiu de casa. Ela saiu de tarde no carro dela e voltou às sete horas, mas saiu pouco depois, ela mesma dirigindo, disse o porteiro. Raul tirou o bloco do bolso e começou a fazer anotações. A que horas dona Mariza chegou? O porteiro, depois de consultar seu caderno, respondeu que ela chegara quarenta e cinco minutos depois da meia-noite. Mas o senhor não sai à meia-noite? Ontem eu tive que dobrar o serviço. O Ercílio, que me substitui, não veio.

Pelo monitor o porteiro vira Mariza entrar na garagem, ela dirigia o carro e estava sozinha. O Helder não recebeu nenhum visitante. Alguém poderia ter entrado no prédio sem ser visto pelo senhor?, perguntou Raul. Impossível, respondeu o porteiro, nenhum morador, ninguém, a não ser o porteiro do turno, para o caso de alguma emergência, tem a chave do prédio, as portas são abertas eletronicamente por nós. De um monitor na minha mesa eu vejo todas as entradas do prédio, a porta social, a de serviço e a garagem. E tudo é gravado em uma fita. Algum dos moradores recebeu visitantes?, perguntou Raul. Não, a maioria dos moradores são pessoas idosas, recebem poucas visitas, raramente dão festas. O prédio só tem oito andares, um apartamento por andar. Houve uma entrega de flores, deixa eu ver aqui, às quatro da tarde, mas o entregador não subiu, deixou as flores na portaria. Nenhum entregador, seja do que for, pode subir, os moradores ou seus empregados têm que descer até a portaria para receber a mercadoria. E os visitantes só sobem depois de consultarmos o morador pelo interfone. O síndico é maníaco por segurança, na parte de baixo da minha mesa eu tenho um botão que aciona a polícia com uma gravação que diz que um assalto está sendo realizado aqui no prédio. Vou querer examinar essa fita, disse Raul. A que horas a dona Mariza ligou para o senhor? Foi logo depois de chegar, ela disse que o marido tinha sido assassinado, que já ligara para a polícia, e perguntou se eu podia subir para ficar com ela, pois estava com medo. Eu disse que não podia abandonar a portaria e dona Mariza desceu, foi à garagem pegar o celular que esquecera no carro e ficou sentada chorando no sofá do hall. A polícia demorou a chegar? Não. Poucos minutos. Eles subiram com dona Mariza e logo chegaram outros policiais. Dona Mariza recebia visitas masculinas quando o senhor Helder Frota estava viajando?, perguntou Raul. Em algumas ocasiões, o advogado dela. O doutor Mandrake?, perguntou Raul. Esse mesmo, respondeu o porteiro. No dia 31 de maio o doutor Mandrake visitou o apartamento de dona Mariza? Não, eles não receberam visitas nesse dia.

Raul apreendeu a fita gravada e no dia seguinte, acompanhado do porteiro Silvino Santos, foi ao meu escritório rever a gravação comigo, talvez eu reconhecesse alguém. Vimos Mariza sair de carro, a volta de Mariza, a nova saída de Mariza, a chegada de Helder, a volta de Mariza. O interior da garagem não era mostrado, somente a entrada e a saída dos carros. Os moradores que apareciam no vídeo eram dois casais de velhos, um deles acompanhado de crianças, netos, provavelmente, e uma mulher desacompanhada. Além do carro de Mariza, vimos mais quatro carros, todos identificados pelo porteiro como de moradores. Mais uma vez o porteiro afirmou que nenhum estranho entrara no prédio.

O porteiro foi dispensado. Raul disse que minha situação não era boa. Você era amante da mulher do sujeito que apareceu morto, sua bengala-estoque foi a arma do crime, encontrada com sangue da vítima no local, suas impressões digitais estão na bengala. Raul, eu disse, você acha que eu sou um imbecil completo, que mato uma pessoa e fujo, deixando no local a arma do crime, uma arma facilmente identificável como minha, com minhas impressões digitais? Sou um advogado criminalista, caralho.

Raul andou pelo escritório, estava nervoso. E o que você fez na noite do dia 31 de maio, entre oito horas e meia-noite? Já disse, passei a noite toda em casa, tentei dormir, não consegui, e fiquei lendo. Peguei o *Dom Quixote* na estante e pensei que ia me dar sono, mas a porra do livro me deixou ainda mais desperto. Lendo o *Dom Quixote*? O promotor, que só lê Stephen King, não vai acreditar nisso. Você está vendo o acúmulo de indícios contra você? Sua bengala com as impressões digitais estava no local do crime, o promotor... Foda-se o promotor, eu disse. Além do mais, prosseguiu Raul, há a circunstância de você ser amante da mulher da vítima. Raul, quem mata é o marido enganado, o amante não mata ninguém. Raul suspirou. Puta merda, nos últimos anos você foi amante de no mínimo umas dez mulheres, tem sempre uma dona aqui, e nessa noite nenhuma... Raul, não preciso de nenhum álibi: como foi que eu entrei no apartamento da Mariza? E quando?

Raul voltou a andar pela sala. Você tem um Periquita em casa?

Eu também estava nervoso. Não consegui sacar direito a rolha do Periquita, ela saiu toda esfarelada. Raul, essa coisa foi armada por alguém. Quem é que pode estar querendo te foder?, perguntou Raul. Não tenho a menor ideia, respondi. E a fisioterapeuta que você está comendo? Ela estava na festa, podia ter surrupiado a bengala. Você a convidou por quê? Raul, tira a Helena do seu bloco de anotações, ela não tem nada a ver. Essa dona não é meio píssica? Levou você para ver o tal balé em que os dançarinos, segundo você me contou, são homens e mulheres deficientes físicos, anões ou pessoas sem pernas ou sem braços, ou cabeçudas, em cadeiras de rodas. Como é mesmo o nome? Excêntrico Balé, respondi, explicando que o balé era um exemplo de superação física, costumava ser convidado para se exibir no mundo todo dançando coreografias de músicas de clássicos brasileiros, como Villa-Lobos, Krieger,

Mignone. O balé no *Batuque* do Nepomuceno é algo inesquecível, você precisa assistir. Esquece a Helena, cara, ela está acima de qualquer suspeita. Como você.

    Raul foi embora e eu fiquei sentado na poltrona da sala, pensando. Vavá se aproximou perguntando se eu precisava de alguma coisa, do contrário ia dormir. Vavá, quando dormia na minha casa, o que fazia duas vezes por semana, ia para a cama sempre por volta das dez da noite, depois de ver a novela. Vavá tinha acesso a todos os objetos da minha casa e me lembrei da sua mania de limpeza. Fui à área de serviço e bati na porta do quarto dela. Vavá tinha o sono pesado e demorou a acordar. Gritei, para ela ouvir através da porta, que precisava falar com ela.

    Qual foi a última vez que você limpou as bengalas? Hoje, ela respondeu, está faltando uma. Pedi que Vavá dissesse como limpava as bengalas. Ela explicou que usava vários produtos químicos, depois de limpas não ficariam nas bengalas nem mesmo as impressões digitais de alguém com a mão cheia de tinta de carimbo. Ela limpava as bengalas uma vez por semana, fiz os cálculos e concluí que o mais provável era que a bengala tinha sido apanhada por uma das pessoas que compareceram à festa da condessa Sforza. Infelizmente eu não recordava quais haviam me pedido que segurasse uma bengala, ou para fotos feitas por telefones celulares, ou simplesmente como brincadeira. Fui procurar a relação dos convidados. Os únicos que podia eliminar da lista com certeza eram o Frota, porque estava morto, e o Raul. Liguei pra ele.

    Acho que alguém que veio aqui na festa da condessa levou a bengala. Várias pessoas me pediram para segurar a bengala, você se lembra quem? Eu, respondeu Raul, eu pedi para você segurar a bengala. Quero saber dos outros. Ninguém que estava lá tinha motivo para querer incriminar você. E o Queiroz, meu ex-adversus numa causa em que perdeu uma fortuna? Aquele que foi nosso colega de turma? Ele é um merda, não mata ninguém. E o tal Marquinhos, campeão sul-americano de surfe, ele se apresentou na portaria dizendo-se convidado da Mariza, mas ela negou e olhou de cara feia para ele, o cara era um penetra, mas deixei ele ficar, estava fazendo sucesso com o mulherio. Por que você deixou as mulheres de fora da sua lista de suspeitos?, lembro que Mariza, e também Helena, a sua fisioterapeuta — você come ela, não come?, eu vi a maneira como ela falou com você —, e também a condessa, e também aquela tal Nininha, uma criadora de orquídeas que parecia muito amiga do Helder Frota, todas pediram para você desfilar com a bengala. Não foi mulher nenhuma, eu disse, você está louco, essa coisa de tira suspeitar de todo mundo. Por que não a Vavá, então? Pode ser, disse Raul, ainda que seja raro uma empregada odiar o patrão, elas odeiam a patroa. Raul fez uma pausa e exclamou, caralho! Fui o penúltimo a sair de sua casa e notei que você levava os convidados que saíam até a porta. Como alguém podia levar a bengala sem você ver? Mesmo estando meio de porre como você estava. Só quem ficou foi a condessa, você a acompanhou até a saída? Acompanhei. Não disse ao Raul que a condessa dormira no meu apartamento e que de madrugada eu a levara de táxi para casa.

Acho que o Victor Hugo descreveu o tira perfeito, todo bom tira tem que ser um Javert sem misericórdia. No enterro do Frota, Raul exibia uma cara compungida, como quem sofre, mas estava alerta, vendo tudo o que se passava à sua volta. Percebeu uma mulher que tentava esconder as lágrimas. Em um enterro o choro é livre, até bem-visto, mas a mulher se contraía, convulsiva, e escondia os soluços. Ele a reconheceu como Nininha, a amiga de Helder Frota que fora à festa que ofereci à condessa. Quando Nininha se retirava, Raul se aproximou dela e, enquanto caminhavam pelas aleias do cemitério, disse, o seu nome é Nininha, não?, sei que era muito amiga de Helder Frota, ele me falou a respeito da senhora, nós éramos muito amigos, ele não tinha segredos para mim. Nininha olhou para Raul, ele tinha uma cara confiável e ela precisava desabafar.

Eu o amava muito, ela disse, como Helder, eu também cultivava orquídeas, criei uma nova *Cattleya* e dei a ela o nome de *Cattleya helderianum*, pois foi o amor de Helder que me estimulou a viver. Diariamente eu enviava a ele um e-mail falando do nosso amor, ele ia se separar da mulher para casar comigo. Depois de aliviar seu sofrimento, Nininha desabou a chorar. Naquele instante, Raul tirou do bolso a sua identificação de policial e mostrou para Nininha. Vou lhe enviar um convite para a senhora comparecer à Delegacia de Homicídios para prestar depoimento. Nininha olhou com surpresa para Raul e imediatamente parou de chorar.

    Nininha Albuquerque compareceu à delegacia acompanhada de um advogado de nome Peçanha Vieira, um cara do segundo time, mas como era bem-apessoado e tinha boa conversa conseguia muitos clientes. Raul perguntou qual a profissão de Nininha e ela respondeu que não tinha profissão, que vivia de rendimentos, o pai dela ao morrer lhe deixara alguns imóveis comerciais, que estavam alugados por bom preço. Tenho um orquidário, ela disse, mas não é profissão, pois não ganho dinheiro com ele.

    A senhora era amiga do senhor Helder Frota?, perguntou Raul. Nininha respondeu que ambos tinham o mesmo hobby, o cultivo de orquídeas, que Helder lhe ensinara tudo o que ela sabia sobre orquídeas. Condições de temperatura, luminosidade, umidade, ventilação, adubos, circunstâncias essas que variavam conforme a espécie de orquídea que se estivesse cultivando. Existe uma grande diversidade de espécies, senhor delegado. O advogado tocou de leve no braço de Nininha. Nossa relação, ela apressou-se em dizer, era apenas a de dois especialistas interessados no mesmo ramo de conhecimento. Ou de arte, se preferir. E as suas relações com a senhora Helder Frota? Eu a conhecia superficialmente.

    Raul relatou para mim e Weksler as declarações de Nininha na delegacia. Ela foi com o advogado dela, o Peçanha Vieira, você conhece esse cara, não conhece?, ele ficou ao lado de Nininha o depoimento inteiro e ela repetiu como um papagaio as instruções que o puto lhe deu. Houve um momento em que ele tocou no braço dela, lembrando-a de que ela devia dizer que a única relação entre ela e Helder era o interesse que ambos tinham por orquídeas. Ou seja, o toque do Peçanha no braço da cliente pra mim significou que os dois, Nininha e Helder, tinham uma relação mais íntima. Mas não creio que tenha sido Nininha. O Helder certamente a embromou, dizendo que ia se separar da mulher para casar com ela, e Nininha deve ter acreditado, por que iria assassiná-lo? Mandrake, você alguma vez disse que ia se separar da sua mulher só para poder ficar comendo uma pateta? Raul, eu nunca fui casado, você sabe disso. Convidei a viúva para ir prestar declarações na delegacia, disse Raul.

Quando Raul foi embora, liguei para Mariza. Você recebeu um convite para ir à Delegacia de Homicídios? Ela respondeu que sim, e eu indaguei por que ela não me falara. Pensei em pedir que você fosse comigo, mas depois achei que não seria uma boa ideia. Você vai sozinha? Qual é o problema, Mandrake?, o seu amigo vai me submeter a algum tipo de tortura? O Weksler vai com você, está bem? Mandrake, estou morrendo de saudades, você acha que a gente podia se encontrar? Aí na sua casa? Eu sou um fraco, não consegui dizer não.

Quando ela chegou, não começamos imediatamente a nos beijar, como fazíamos sempre. Você acha horrível eu ter sugerido o nosso encontro?, meu marido foi sepultado há poucos dias e aqui estou eu pronta para ir para a cama com outro homem. Depois de um beijo ardente ela continuou, mas eu te amo, Mandrake, seria hipocrisia esconder os meus sentimentos, que não têm nada de pecaminoso, o amor redime, eu me sinto pura. Eu disse, Mariza, você sabe que eu não tive nada a ver com a morte de Helder, certamente alguém roubou a minha bengala durante a festa que ofereci à condessa.

Na cama, num intervalo, ela perguntou, não deve ter sido fácil a pessoa sair com a sua bengala sem que ninguém percebesse, você não acha? A luz da mesinha de cabeceira estava acesa, Mariza gostava de fazer amor com a luz acesa, toda mulher que tem o corpo muito bonito age assim, as outras, as que têm seus pneuzinhos, gostam da penumbra, quanto mais sombra melhor. Com a luz refletida no rosto de Mariza pude perceber que ela escondia alguma coisa. Suspeitava de mim?

Levei-a até o carro. Eram duas da madrugada e cortei a conversa que ela sempre queria prolongar nesse momento. Naquele dia não olhei para os lados para ver se havia alguém nos observando. Se tivesse feito isso, teria notado que Helena, a certa distância, parcialmente escondida por uma árvore, espiava minha conversa com Mariza.

Raul tomou o depoimento do porteiro do meu prédio, Francisco Martins. Perguntou se ele conhecia o doutor Mandrake, morador do prédio, e ele respondeu que eu era gente fina. O doutor Mandrake costumava receber a visita de uma senhora chamada Mariza?, perguntou Raul. Francisco respondeu que não se lembrava. Deixa de ser mentiroso, você ficava espiando os dois quando o doutor Mandrake a levava até o carro dela, que ficava parado na frente. Não quero ferrar o doutor Mandrake, disse Francisco, assustado. Raul falou para o Francisco não se preocupar, a verdade não ia prejudicar o doutor Mandrake. Anda, responde, ele costumava receber a visita de uma senhora chamada Mariza, que chegava num Mercedes? Sim, duas vezes por semana, respondeu o porteiro, uma moça fina, do soçaite, o doutor Mandrake me deu instruções para que quando dona Mariza chegasse eu abrisse logo a porta para ela entrar e subir para o apartamento dele. Até que horas dona Mariza ficava no apartamento do doutor Mandrake? Até duas, três da madrugada. Depois o doutor Mandrake ia com ela até o carro e os dois ficavam alguns minutos conversando. Fico sempre de olho neles, se chegar algum ladrão vou socorrer o doutor Mandrake. Não tem outro morador no prédio tão legal quanto ele.

No mesmo momento em que Francisco prestava depoimento na polícia, Maria Emília entrou na minha sala com ar apavorado dizendo que havia uma louca na sala de espera querendo falar comigo. Antes que eu pudesse responder, a porta foi aberta e uma mulher entrou abruptamente na minha sala. Pedi a Maria Emília que se retirasse, acrescentando que a visita era uma pessoa minha amiga.

Era Helena. Creio que antes ela fora apenas uma vez ao meu escritório. Essa putinha não queria me deixar entrar, disse Helena. Você andou bebendo?, perguntei. Isso não é da sua conta, seu escroto. Você sabe que não pode beber, Helena, fica agressiva, tem um comportamento do qual depois se envergonha. Vai se foder, seu filho da puta, pensa que eu não sei que você era amante daquela vadia adúltera? Você me disse que não se envolvia com mulheres casadas e você e ela estavam fodendo, o marido deve ter descoberto e você matou o infeliz, você é um assassino, um mentiroso, um canalha que se finge de bonzinho, pensa que eu não sei por que fodia comigo? Para fazer uma boa ação, para se redimir dos seus pecados, eu, o doutor Mandrake, sou bonzinho, estou fodendo a aleijadinha, eu vou para o céu. Você vai é para o inferno, seu filho da puta. Helena arrancou os sapatos e andou pela sala, mancando. Está vendo a aleijadinha que tem uma perna mais curta que a outra, que você, para conseguir foder, tomava Viagra escondido ou outra merda dessas, olha para mim, seu pulha, olha para a aleijadinha manca, assassino nojento, você matou o marido dela, que era seu amigo, e agora você e aquela fulustreca vão ficar juntos, cheios de dinheiro. Está tudo aqui nesta carta anônima que eu recebi.

Me aproximei de Helena e a abracei, dizendo, eu te amo, Helena, e naquele momento amava mesmo, e ela chorou ainda mais, soluços lancinantes que fizeram Weksler abrir a porta para ver o que estava acontecendo e fechá-la logo em seguida. Helena demorou um tempo enorme para se acalmar. Depois eu disse a ela que havia acabado com Mariza, que a minha namorada era ela, Helena. Eu pensava assim mesmo, naquele momento. Sempre acredito nas minhas mentiras, mas não sou mitômano, não sei bem o que sou. Levei-a até a casa dela e passei o resto da tarde lá.

A carta anônima que enviaram para a casa de Helena fora impressa numa impressora a laser e dizia o seguinte:

> Abandona esse crápula antes que ele faça você sofrer. O doutor Mandrake tem inúmeras amantes, ele conta de maneira cínica para os amigos que troca de mulher como quem troca de camisa. Diz que não suporta ficar com a mesma mulher muito tempo, é um Don Juan infame. Numa roda de amigos, num bar, ele disse que fode uma aleijadinha, o que lhe dá uma sensação muito engraçada, ainda que um tanto repugnante. Isso é o que ele diz de você, o canalha.

Quem teria escrito aquela carta? Desconfiei de Mariza, uma mulher despeitada é capaz de tudo.

No dia seguinte Mariza passou no escritório antes de ir depor na Delegacia de Homicídios. Evitei vê-la. Weksler foi com ela. Não sei por quê, aquela carta me deixara um pouco infeliz. Eu seria incapaz de comentar que estava fodendo uma garota com um defeito físico, quanto mais de chamá-la de aleijadinha. Mas nem tudo o que estava escrito na carta era mentira.

Maria Emília entrou na sala com um embrulho dizendo, presente para o senhor. Tinha um cartão de visitas do doutor Medeiros. Abri o embrulho, era uma caixa de partagas D-4. Acendi um charuto. Aquilo me deixou um pouco menos infeliz.

Raul tomou o depoimento de Mariza na Delegacia de Homicídios. Weksler a acompanhou. Ela disse que no dia do assassinato de Helder Frota, durante a tarde fora ao cabeleireiro, tendo chegado em casa por volta das dezoito horas. Raul pediu o nome do salão que ela frequentava e o nome do cabeleireiro. Mariza disse que por volta das dezenove horas saíra para ir a uma festa em casa de amigos, no sítio dos Coelho Pacheco, em Petrópolis; que havia muita gente na festa; que depois de dar o presente que levara para Sonia Pacheco ficara na festa até perto de meia-noite; que ela mesma dirigira o carro, gostava de dirigir o seu Mercedes Sport; que chegara em casa de volta pouco depois da uma da madrugada; que estacionara o carro na garagem e subira para seu apartamento; que, ao entrar, tudo parecia normal; que calculara que Helder já devia estar dormindo, o marido gostava de dormir cedo; que ao entrar no quarto vira o marido caído na cama, todo ensanguentado; que ligara imediatamente para a polícia.

Raul perguntou como era seu relacionamento com o marido. Mariza respondeu que muito amigável, viviam felizes um com o outro. Raul então perguntou se o marido de Mariza sabia do envolvimento dela com o doutor Mandrake. Mariza respondeu indignada que o doutor Mandrake e ela eram apenas amigos. Mas Raul era insistente. Sei, pelo senhor Francisco Martins, porteiro do prédio onde o doutor Mandrake reside, que a senhora ia duas vezes por semana ao apartamento do doutor Mandrake e ficava até de madrugada. Mariza respondeu que os dois eram amigos, que ficavam conversando. Duas vezes por semana a senhora vai ao apartamento de um indivíduo que é apenas seu amigo e fica até de madrugada? Doutor Raul, disse Weksler, minha cliente não é obrigada a passar por esse constrangimento a que o senhor a está submetendo. Ela só falará em juízo.

Weksler voltou da Delegacia de Homicídios furioso. O Raul é meu amigo, disse, me imitando, aquele puto não é amigo de ninguém, está a fim de te foder, e a tal Mariza é uma cretina, o depoimento dela foi uma merda, quando ela ia começar a reconhecer que o marido dela sabia que vocês estavam fodendo, cortei a porra do depoimento.

Pelo interfone, Maria Emília avisou que Raul queria falar comigo. Atendi o telefone. Vocês estão dificultando as coisas para mim, Mandrake. Preciso tomar o seu depoimento formalmente. A Mariza quase reconheceu que o marido sabia que você fodia com ela. Cortei o depoimento a tempo de evitar isso. Quando você pode comparecer à delegacia? Quando você quiser, respondi.

Mas antes de tomar o meu depoimento, Raul ouviu Helena, minha fisioterapeuta. Quando ele lhe perguntou como ela havia me conhecido, ela respondeu que conhecera o doutor Mandrake por intermédio do senhor Helder Frota, que era cliente dela. Que as relações dela com o senhor Helder Frota e com o doutor Mandrake eram de terapeuta com cliente. Que no dia do assassinato estava em sua casa vendo televisão e fora dormir cedo.

Finalmente, Raul me chamou para prestar depoimento. Que merda isso tudo, ele disse, ninguém está dizendo a verdade. Diz a verdade para mim, Mandrake.

Porra, o que você quer saber? Alguém pode comprovar que você estava em casa na noite em que mataram o Helder Frota?, Raul perguntou. Eu já lhe disse que estava sozinho em casa, respondi. Por que não comunicou o desaparecimento da sua bengala? Respondi que tinha um monte de bengalas e que nunca usava a Swaine, soube que ela havia desaparecido quando ele, Raul, me falara do assassinato e me mostrara a bengala.

Puta merda, disse Raul. Você tem algum D-4 no bolso?

Eu tinha dois. Fumamos em silêncio.

Preocupado?, perguntei. Raul me olhou com cara compungida, respondeu, e não era para estar? Ainda bem que o depoimento do porteiro do prédio da Mariza livra a sua cara. Naquele dia ninguém visitou o apartamento deles. Ela é a minha principal suspeita.

Mas eu chequei todos os passos dela, inclusive fui ao salão que ela mencionou no depoimento, falei com o cabeleireiro, uma bicha chamada René, e ele confirmou que Mariza esteve lá, me disse que ela encontrou sua amiga Bárbara Hermans e que as duas saíram juntas do salão. Tudo o que ela falou é verdade. Mas eu suspeito dela, talvez por não gostar de mulheres que corneiam o marido.

UM CRIME PERFEITO?

Raul solicitou prorrogação do prazo para enviar o inquérito para ser distribuído para uma das varas criminais.

Eu estava em casa quando ouvi a campainha. Abri. Era Raul. Você tem um Periquita aí? Estava com a voz pastosa, devia ter bebido muito, apenas uma vez eu o vira assim e ele havia bebido um litro de vodca. Fiquei olhando para ele, tapando com o corpo a entrada do meu apartamento. Não vai me mandar entrar?

Raul entrou cambaleando, dizendo, merda de homicídio, não tenho suspeitos, então suspeito de todo mundo, até da minha mãe, se eu tivesse mãe. Afinal, quem matou aquele corno? Raul desabou no sofá. Cadê a porra do Periquita?, perguntou. Você não vai beber mais nada, respondi, só se for um suco de tomate com Engov. Fui até a cozinha, abri uma lata de suco de tomate, pus num copo, peguei dois Engovs no armário do banheiro. Quando voltei para a sala, Raul estava desmaiado no sofá. Sua cara era de quem havia morrido. Pressionei com o dedo sua veia da garganta. O coração batia, taquicárdico. Bestalhão, eu disse.

Quando acordei, por volta das quatro da madrugada, Raul ainda dormia. Tomei banho, fiz a barba, me vesti. Deixei um bilhete para Vavá, ela conhecia o Raul, pedi que preparasse para ele um café reforçado. Saí e fui andando pelo calçadão da praia, contemplando a linda esfera vermelha sair do mar até virar uma luz branca ofuscante.

Fiquei vários dias sem ver Raul, até que ele me telefonou combinando um encontro no meu escritório.

Assim que chegou, Raul tirou o bloco de anotações do bolso. Andei fazendo umas investigações, disse. Tenho três mistérios para resolver. O primeiro, é claro, quem matou Helder Frota? O segundo mistério é: como a Swaine foi retirada da sua casa?

Para Raul, quem matara Helder podia ser alguém que queria me foder, alguém que queria jogar a culpa em mim para não ser descoberto. Vamos ver os nomes, ele disse, consultando o bloco. Mariza. Ela não gostava do marido, tanto que corneava ele com você. Ia ficar livre e rica. Retorqui dizendo que Mariza gostava do marido e não tinha motivo para não gostar, ele dava tudo a ela, inclusive liberdade. O cara era corno manso?, perguntou Raul. Expliquei que Helder dava liberdade à esposa, não a cerceava, era carinhoso, generoso, e a minha relação com Mariza era um complemento da felicidade dela. E além do mais, acrescentei, que interesse ela teria em me incriminar? Raul respondeu que Mariza, inexplicavelmente, fazia questão de que o nosso affaire fosse conhecido, ficava um tempo enorme na porta do meu prédio de madrugada antes de partir com o carro. Você sabia que o marido dela estava tendo um caso com a mulherzinha das orquídeas, a tal de Nininha? A Mariza devia saber. O nome da Mariza fica no meu bloco, na lista de suspeitos. Agora a Nininha. É uma sonsa, mentirosa, era amante do Helder, mas talvez ele a visse apenas como uma comidinha e a tivesse despachado. Não existe animal mais feroz do que uma mulher despeitada, quem vive dizendo isso é você. Nininha fica na lista de suspeitos. Agora vejamos Helena, a aleijadinha.

Porra, Raul, não fale assim dela, protestei, mas Raul prosseguiu, ela devia saber que você e Mariza eram amantes, pois era terapeuta do Helder e certamente trepava com ele também. Você não é o único homem que sente atração por uma... mulher diferente. Lembra do Krafft-Ebing, que lemos ainda na faculdade? Todas essas pessoas foram à festa que você deu à condessa e podem antes ter surrupiado a sua bengala, só não sei como a tiraram de lá. E também não excluo a condessa. Ela já mandou matar um.

Raul, eu disse, você está delirando, para você todo mundo é suspeito. Raul respondeu, é isso mesmo, para falar a verdade, até eu devia entrar na lista de suspeitos. Sabia que eu detestava o puto do Helder? Na ocasião em que você e o Weksler cuidaram do caso do cartão de crédito dele, aquele que havia sido clonado, um dia eu estava no escritório de vocês e ele disse que a polícia era uma merda, só tinha corruptos e incompetentes, eu retruquei dizendo que nem todos eram assim e ele, me olhando na cara e sabendo que eu era tira disse, sim, todos, não existe exceção. Só não dei um murro na cara dele porque estávamos no seu escritório e o puto era seu cliente. O que talvez me exclua da relação de suspeitos seja o fato de que eu não usaria a bengala, eu daria um tiro nos cornos dele quando ele estivesse chegando em casa, de noite. Agora, o terceiro mistério: como o assassino entrou no prédio? A única pessoa que entrou lá, além de alguns moradores, foi Mariza, que saiu às sete da noite, ficou numa festa até meia-noite e chegou em casa à uma da madrugada. Mas Helder foi assassinado por volta das dez da noite. Ninguém suspeito entrou no prédio. Se fosse uma novela policial eu diria, como o Poe, que foi um macaco que escalou as paredes do prédio. Mas não é, e tem ainda a porra da sua bengala. Dá uma olhada no vídeo gravado pelo sistema de segurança do prédio.

Vi o vídeo. Apenas poucos moradores, quatro homens e três mulheres, haviam entrado no prédio naquele período de tempo, além de três empregadas que entraram pela porta de serviço, e as portas do prédio eram sempre abertas por algum porteiro: havia dois, que se revezavam de doze em doze horas. Nenhum morador tinha a chave do prédio. Apenas quatro carros, incluindo o de Mariza, haviam entrado na garagem. O movimento é pequeno porque a maioria dos moradores é gente velha, disse Raul, conversei com todos eles. Estão inteiramente fora. Um é até rabino, vinha da sinagoga.

Algum tempo depois, Raul fez um relatório que enviou ao juiz, pedindo prorrogação do inquérito por prazo indeterminado.

A VIDA CONTINUA

A condessa Sforza — eu continuava a chamá-la assim — foi exonerada de toda e qualquer responsabilidade na morte de Enrico Schipa. Ela fizera várias operações plásticas, no corpo inteiro, e parecia dez anos mais jovem. O seu programa de televisão fazia grande sucesso. Uma das emissões chamou-se *O mistério da bengala Swaine*. A condessa entrevistou pessoas e fez uma encenação dramática do crime em que vários artistas representavam os envolvidos — usando pseudônimos, a conselho do advogado da emissora. O que não falta no mundo é imbecil. O resultado foi que recebi ofertas tentadoras, uma delas da Inglaterra, para vender a bengala. Não vendi. Mariza viajou para a Europa, onde permaneceu três meses. Quando voltou, não nos revimos. Helena também não quis mais saber de mim. Pensei em arranjar fisioterapeuta homem, mas odeio homem passando a mão em mim. Escolhi uma velhota.

Recebi um cartão-postal enviado de Lima, Peru: *Estou pertinho, você não quer vir até aqui? K.* O Brasil é tão grande, todos os outros países ficam muito longe do Rio.

Eu havia ligado para todas as mulheres que me davam prazer. Sílvia, a advogada, se casara e disse que não queria enganar o marido. Angélica brigara comigo. Quando eu estava convalescendo ela foi me ver no hospital, o que me deixou muito feliz. Sentou na minha cama, pegou na minha mão e disse, você me magoou muito, por favor, não me procure nunca mais. Desejou-me melhoras e foi-se embora. Para ela, não tive coragem de ligar. Ou seja, estava tudo uma merda, a única boa notícia me foi dada pela minha empregada Vavá, que falou, doutor Mandrake, meu sonho virou realidade, comprei uma casinha no subúrbio, é longe, mas é minha, e tem uma horta e um pé de manga, estou muito feliz. Vavá merecia ser feliz, pensei.

Raul me telefonou. Como vão as coisas?, perguntou. Tudo uma merda, a única coisa boa foi que a minha empregada comprou uma casinha com uma horta e um pé de manga, o sonho da vida dela. Ainda bem que tem gente que sonha com pouca coisa, uma casinha com um pé de manga, disse Raul.

O caso Helder Frota caiu no esquecimento. Acontece tanta coisa numa cidade grande, novos crimes, novos escândalos fazem os antigos serem esquecidos. Outro cartão-postal: *Estou em Londres. K.* Karin agia como se nada tivesse mudado entre nós. Lembrei-me da maneira engraçada de ela falar, uma imagem de Karin nua tomou conta do meu pensamento. Na verdade eu bloqueara da lembrança os ferimentos à bala que o pai dela me infligira e que me fariam mancar para o resto da vida. Lembrei-me do primeiro dia em que Karin entrou no meu escritório, e nesse momento o telefone tocou. Era Raul. Malandro, quero te convidar para almoçar comigo. Onde? Na minha casa, ele respondeu. Você arranjou outra mulher ou uma nova cozinheira? Você não sabe cozinhar. Não interessa, uma e meia na minha casa.

Raul tinha arranjado uma nova mulher e uma nova cozinheira. A mulher se chamava Stefanie, era vizinha dele na serra. Namoraram algum tempo e agora estavam morando juntos e criando rãs. Ele ainda não tinha me apresentado a mulher porque primeiro queria ter certeza de que ia dar certo.

Esta é a Stefanie, disse Raul, ela vive no sítio cuidando das rãs.

Stefanie era uma loura robusta com um bom corpo, mãos grandes e olhos bonitos. Então este é o famoso Mandrake, ela disse, apertando com força a minha mão.

Pensei que você havia desistido de criar rã, falei. Não, apenas parei um tempo de ficar falando no assunto. Stefanie me ajudou a fazer o ranário, sofremos um pouco no início, não foi, querida?, mas acabou dando certo. Graças a ela, evidentemente, que dá duro lá no sítio enquanto eu fico aqui de papo pro ar.

A nossa sorte começou, disse Stefanie, quando o Talho Capixaba, do Leblon, começou a comprar as nossas rãs congeladas. O Talho é muito respeitado. Nossa clientela cresceu sem parar. Agora estamos fornecendo para mais de vinte restaurantes e lojas especializadas. Daqui a pouco recuperamos o investimento que fizemos no ranário e vamos começar a ter lucros. Raul deu um beijo em Stefanie, investimento feito com o dinheiro dessa deusa, ele disse. Eu sempre quis criar rã, mas o meu sítio não tem água limpa e o Raul tem três nascentes dentro do sítio dele, disse Stefanie.

A conversa não saiu do tema rã. A carne da rã tem os melhores ácidos graxos, disse Stefanie, enumerando todos, e também sais minerais e os principais aminoácidos. Em seguida recitou um rol infindável de nomes, mas só me lembro dos aminoácidos, que eram relativamente poucos: leucina, isoleucina, valina, triptofano, metionina, fenilalanina, treonina e lisina, mais a histidina, que era um aminoácido essencial na infância.

Como você quer comer a sua rã? Dorée, frita, ensopada ou ao forno? Há milhões de maneiras de preparar rã, disse Raul, mas o jeito que eu mais gosto é frita, sem nada, é fácil de fazer, até eu sei, ou então dorée, mas dorée a Stefanie tem que preparar, disse Raul. Como é a dorée?, perguntei. Você pega seis rãs grandes, um dente de alho, sal e pimenta a gosto, suco de um limão médio, farinha de trigo para empanar, óleo abundante para fritar. Pode usar também farinha de rosca. Tempera as rãs com alho, sal, pimenta e limão, deixa descansar de vinte a trinta minutos no tempero, passa a farinha de trigo, bate bem para tirar o excesso e frita em óleo ou azeite extravirgem preaquecido. Stefanie explicou também como fazia rã ao forno, mas nesse ponto eu já estava cansado de ouvir falar em rã e comecei a fingir que ouvia. Ela e Raul falaram em rã e receitas de rã até a hora em que o almoço foi servido. Eu havia pedido as minhas do jeito mais simples, fritas. Entre as opções óleo, azeite extravirgem e manteiga, escolhi manteiga. Comi oito rãs, os esqueletinhos dos bichos foram totalmente roídos por mim, cheguei mesmo a mastigar bem alguns ossinhos e engolir. Uma maravilha.

A condessa Sforza me telefonou, dizendo que havia sido convidada pela *Playboy* para posar nua, queria saber o que eu achava, devia aceitar ou não? Faça o que o seu coração mandar, eu disse. Meu coração manda eu aceitar.

Naquele dia conversei com o Weksler e disse a ele que queria tirar umas férias. Estava com vontade de ficar sozinho, de entrar para um mosteiro, a síndrome de puta arrependida que encontra Jesus. Peguei alguns livros, meu notebook e fui me esconder numa fazenda no interior de Minas. Não dei o endereço para ninguém.

COMEÇA TUDO DE NOVO

Só aguentei ficar escondido na roça durante dez dias. Minha vida é na cidade grande, quanto maior, mais populosa e mais poluída, melhor. Depois do último e entediante fim de semana vendo vaca no pasto, fiz a mala e voltei para o gás carbônico.

Quando entrei no meu apartamento, senti logo o cheiro de limpeza. A Vavá agora tinha a casa dela, mas continuava cuidando bem da minha. Na portaria, eu havia apanhado no escaninho de correspondência dois postais de Karin. Um de Barcelona e outro de Lisboa. Em ambos havia sido escrita apenas uma palavra: *Quando?*

Na minha secretária eletrônica havia vários recados do Weksler, todos dizendo a mesma coisa, que o Raul queria muito falar comigo. E havia vários recados do Raul, todos dizendo, puta que pariu, onde você se meteu, caralho?

Liguei para o Raul. Tenho notícias, malandro, mas não é para dar pelo telefone. Mas eu ainda nem abri as malas, falei. Fodam-se as malas, tenho coisas importantes para lhe dizer. Vou passar na sua casa.

Raul chegou em dois minutos.

Preciso conversar com a sua empregada, ele disse, como é mesmo o nome dela? Para que você quer saber o nome da minha empregada? Porra, Mandrake, qual é o nome dela? Valdineia, mas eu a chamo de Vavá. O que você quer com ela? Uma coisa simples, respondeu Raul. A que horas ela chega?, perguntou. Deve chegar dentro de meia hora no máximo, respondi. Você tem um charuto aí? Acho que ainda tenho dois D-4. Vamos fumar, estou celebrando um troço. Que troço? Cara, vai apanhar os charutos.

Estávamos fumando em silêncio quando Vavá chegou. O senhor voltou antes, disse ela ao chegar à sala. Ela entrava no meu apartamento pelos fundos, sempre. Vou preparar um cafezinho, o senhor quer um, doutor Raul? Vavá parecia um pouco incomodada com a presença de Raul. Deixa o café para depois, o delegado Raul quer falar com você.

Então, Vavá – você prefere ser chamada de Vavá ou de Valdineia?, perguntou Raul. Vavá está bom, ela respondeu, tímida. Raul virou-se para mim e disse, tenho uma memória de elefante, coisa boa para um tira, lembra quando você me falou sobre isso? Então, Vavá, você comprou uma casa nova, não foi? É bom morar numa casa nova, não é? É, respondeu Vavá, insegura. Como foi que você comprou a sua casa? Vavá repetiu a frase, como foi que comprei a minha casa? É, como foi? Um tio me deu o dinheiro. Vavá, na sua família só tem fodidos que não têm onde cair mortos, disse Raul. Eu sei quem lhe deu o dinheiro para comprar a porra da casa. O senhor sabe? Sei, porra. Quem foi?, perguntei, entrando na conversa. Não briga comigo, não, doutor Mandrake. Anda, diz logo quem foi, gritou Raul, é melhor você contar tudo, senão eu levo você presa agora mesmo.

Foi dona Mariza, disse Vavá. Um dia em que ela dormiu aqui, o doutor Mandrake tinha ido para o escritório e eu fiquei conversando com ela e falei do meu sonho. Ela disse que me dava uma casa com um quintal e um pé de manga se eu deixasse ela levar uma bengala do doutor Mandrake como lembrança, mas eu não podia contar nada para ninguém. Deixei ela levar a bengala, desculpe, doutor Mandrake. Eu vou ser presa? Por enquanto não, respondeu Raul. Mas não saia de casa nem atenda o telefone. Vá para o seu quarto, Vavá, eu disse.

Quando Vavá se retirou chorando eu sentei no sofá e disse puta que pariu, a Mariza! Como foi que você desvendou essa história toda?

Lembra do tal Marquinhos, o surfista de cabelo oxigenado que deu uma de penetra na festa que você deu para a condessa? Ele foi preso por tráfico de drogas e enquanto estava na cadeia contou para outro preso, conhecido como Macarrão, que comia uma mulher do soçaite que estava envolvida na morte do marido, e deu o nome da Mariza. Marquinhos ainda disse que a mulher era uma esbanjadora, que dera um dinheiro firme a uma pessoa só para conseguir uma bengala. Macarrão deu o serviço para a polícia para ver se aliviava a situação dele, eu só soube no dia seguinte, essa burocracia de merda. Enquanto isso o Marquinhos saiu da cana com um habeas corpus e sumiu.

Você falou com a Mariza?, perguntei.

Falar o quê? Você se esqueceu, Mandrake, que na hora do crime ela estava a quilômetros de distância? E que nenhum estranho entrou no prédio da vítima? E que eu tive o trabalho de investigar todos os moradores e empregados do prédio? Não resolvemos mistério nenhum, ele ficou ainda mais complicado. Botei todo mundo para procurar o surfista.

A revista *Playboy* publicou as fotos da condessa Sforza. Na capa ela aparecia de calcinha de renda e peitos de fora, o título era "A condessa nua". Nas páginas internas ela estava inteiramente despida, aliás muito atraente, senti até vontade de comer a condessa outra vez. Prodígios da fotografia computadorizada.

Marquinhos foi preso em Saquarema e enviado para o Rio. Raul apertou o crânio dele, e ele contou que era fornecedor de droga para Mariza, coca, assim que os dois se conheceram. Fodera com Mariza apenas duas vezes, a segunda numa suruba com uma amiga dela, uma lourona bonita, mas ficaram mais interessadas uma na outra do que nele. Não lembrava do nome da outra mulher, Mariza a chamava de meu amor. As duas cafungaram várias carreiras. Depois da suruba, Mariza perguntou se ele queria ganhar uma grana. Era para matar o marido dela usando uma bengala-estoque. Disse que me dava quinhentas milhas. É uma boa grana, mas eu medrei, matar gente não é o meu negócio, pulei fora. Eu não confiava na Mariza, ela me devia um monte de pó. Forneci o material, ela disse que me pagaria mais tarde e até hoje não pagou. Raul perguntou qual era o plano para ele entrar no apartamento de Helder, ele respondeu que Mariza lhe dissera que tinha uma maneira de resolver o assunto, mas que não chegara a lhe explicar a coisa.

Como a ordem de prisão preventiva de Marquinhos fora decretada por um juiz, ele ficou detido depois do interrogatório. Raul arranjou uma cela onde o surfista ficou isolado.

Você nunca desconfiou que a dona se drogava?, perguntou Raul. Eu me lembro que ela sempre ia ao banheiro antes de a gente ir para a cama e que voltava pegando fogo, respondi. Seu idiota, disse Raul, era o efeito da droga, mulher só pega fogo depois das preliminares, fazer xixi não dá tesão nelas, põe isso na cabeça. Você sabe, continuou ele, meu instinto sempre me fez desconfiar dessa Mariza. O instinto é mais importante do que qualquer método dedutivo científico. Método dedutivo científico é vigarice. Nós, os tiras, temos que confiar no nosso instinto. Mariza deve ser movida a dinheiro, Helder a conheceu numa loja onde ela era balconista. Você disse que Helder dava tudo o que ela pedia, mas grana viva ele não devia dar, e cartão de crédito não compra droga no varejo. Vou convidar ela e a amiga dela, Bárbara, para comparecerem à delegacia. Interrogarei as duas separadamente.

Mariza e Bárbara compareceram à delegacia acompanhadas do mesmo advogado, Seabra Varela, um cara da pesada. Vou querer conversar com elas em separado, qual delas é a sua cliente? As duas, respondeu Varela. Então vamos começar pela dona Mariza. Raul chamou Felipe à parte e disse a ele que levasse Bárbara para a sala quatro. Não deixe ela ir ao banheiro, uma cafungada fortalece os viciados. Raul combinou uma estratégia com Felipe, para quando ele estivesse a sós com Bárbara. Um telefone na sala quatro ia tocar, alguém da delegacia ligaria para o Felipe, que fingiria ouvir o que lhe diziam. Na sala em que Raul estaria com Mariza aconteceria o mesmo.

Dona Bárbara, disse Raul, acompanhe o detetive Felipe, por favor. As duas se entreolharam, Mariza mais tranquila, Bárbara sem conseguir esconder a preocupação. Na sala ficaram apenas Raul, Mariza e o advogado Varela.

Dona Mariza, não vou fazer rodeios, disse Raul. A empregada do doutor Mandrake confessou que foi ela quem roubou a bengala usada no assassinato do seu marido, disse que roubou a seu pedido, que a senhora a subornou dando-lhe dinheiro para comprar uma casinha na periferia da cidade. O depoimento foi tomado em cartório na presença de testemunhas. Temos também o depoimento de Marcos Cabral, vulgo Marquinhos, traficante de drogas, que confessou que lhe vendia cocaína e que em certa ocasião a senhora lhe ofereceu quinhentos mil reais para que ele matasse o seu marido.

Nesse momento tocou o telefone da sala de Raul. Sim, Felipe, disse Raul ao telefone. Felipe, porra, você não tem que tomar o depoimento de dona Bárbara, não interessa que ela queira fazer uma declaração importante. Diga a ela para calar a boca e esperar. Daqui a pouco eu converso com ela. Raul desligou o telefone. Então, dona Mariza, o que a senhora tem a dizer?

Nesse momento o telefone tocou na sala de Felipe. Sim, doutor Raul, disse Felipe, fingindo que tentava evitar que Bárbara escutasse o que ele dizia. Ela disse isso, a dona Mariza? Disse que foi a amiga dela? Não, pode deixar, não comento nada. O que foi que a Mariza disse?, perguntou Bárbara, nervosa. Não sei do que a senhora está falando, disse Felipe. Eu ouvi a sua conversa, pensa que sou alguma idiota? Eu, eu... estava falando com o delegado, um assunto de serviço, disse Felipe, com cara de quem foi desmascarado. Eu ouvi você falando dona Mariza, seu idiota, pensa que eu sou surda? Onde é o banheiro? O banheiro está em obras, disse Felipe. E onde vocês, tiras, fazem as suas necessidades? No botequim da esquina, respondeu Felipe.

Na outra sala Mariza disse, sem perder a pose, que a empregada do doutor Mandrake era uma mentirosa e perguntou se agora as declarações de um traficante valiam mais do que as de uma pessoa idônea. Doutor Varela, disse Raul, sou obrigado a fazer uma acareação entre a sua cliente e essas duas testemunhas. Posso ir ao banheiro?, perguntou Mariza. Um minutinho só, por favor.

Novamente o telefone tocou na sala de Raul. Sim, Felipe, disse Raul. Eu não falei, que merda — desculpem —, para você não ouvir nenhuma declaração da dona Bárbara? Ela disse isso? É mesmo? Que a culpada é a dona Mariza? Saia daí, deixe a suspeita sozinha, não quero que converse mais nada com ela. Raul desligou o telefonou e disse para o advogado Varela, dona Bárbara disse que quem planejou tudo foi a dona Mariza, que ela deu a bengala a dona Bárbara e a obrigou a matar o marido dela. Como assim, forcei?, perguntou Mariza, a ideia foi dela, disse que queria mostrar o amor que sentia por mim. Saímos do cabeleireiro e quando chegamos numa rua deserta ela se enfiou no porta-malas do meu carro, onde já estava a bengala. Chegando na garagem do meu prédio ela saiu do porta-malas e entrou no meu apartamento comigo, as câmeras de vigilância não cobrem o interior da garagem nem os corredores do prédio. Ela ficou escondida no apartamento e quando Helder chegou ela o matou. Quando eu voltei da festa na serra, desci com ela para a garagem, levamos a bengala, e Bárbara se escondeu de novo na mala do carro.

Nesse momento tocou o telefone na sala de Felipe. Sim, doutor Raul. Ela disse isso? Falou que foi a dona Bárbara quem matou o marido dela? Está bem, eu espero.

Com esse velho e sovado truque, Raul pegou as assassinas de Helder Frota. Tomou o depoimento das duas em cartório, com testemunhas, ambas assistidas pelo advogado Varela. Em resumo: Bárbara dizia que Mariza lhe pedira que desse uma prova de amor matando o seu marido. Mariza afirmava que o plano fora de Bárbara, que queria provar que a amava livrando-a do marido opressor. Os depoimentos, na verdade, eram congruentes. Raul ia pedir a prisão preventiva de Mariza e Bárbara, mas elas talvez viessem a ser processadas em liberdade. Mesmo assim, a condenação era certa.

Fiz uma bobagem, disse Varela depois, eu não podia agir como advogado das duas, há um conflito de interesses, devia ter chamado um colega.

Comemoramos a solução do caso comendo rã e tomando uma garrafa de Periquita na casa de Raul. Perguntei a ele se havia algum problema em aberto no caso Altolaguirre. Aquela merda está encerrada, respondeu Raul, a sua amiguinha está livre como um passarinho, não sei por que sumiu do país.

Não falei nada do telegrama que havia recebido naquele dia: *Estou chegando ao Rio amanhã, pela Tap, no voo que parte hoje à noite de Lisboa. Espero encontrar você no aeroporto. Estou morrendo de saudades. Karin.*

Chegando em casa, chequei a hora da chegada do voo de Lisboa. Não consegui dormir. Telefonei para um táxi ir me pegar em casa.

Era melhor esperar no aeroporto, talvez o tempo passasse mais depressa.

MÁGICO SEM CARTOLA

SÉRGIO AUGUSTO

Quem deu ao advogado criminalista, dublê de detetive particular Paulo Mendes a alcunha de Mandrake? Esse mistério Rubem Fonseca nunca se ocupou de esclarecer. É quase certo que seja uma homenagem ao homônimo mágico dos quadrinhos criado por Lee Falk em 1934, que, por sua vez, teve seu nome inspirado na mandrágora, planta cujos atributos afrodisíacos, alucinógenos, analgésicos e narcóticos a transformaram em sinônimo de feitiçaria. Pense bem nos atributos da mandrágora e lembre-se das aventuras do detetive: tudo a ver.

Nosso mágico sem cartola já era quarentão ao estrear num dos contos ("O caso de F.A.") de *Lúcia McCartney*, em 1969. "A cidade não é aquilo que se vê do Pão de Açúcar", foi logo dizendo, querendo dizer que o Rio de Janeiro por onde habitualmente circula não se presta a cartões-postais. Ele próprio nasceu e passou a infância numa zona central da cidade sem appeal turístico. Menino retraído e taciturno, perdeu a mãe muito cedo e foi criado pelo pai, pobre imigrante português do ramo de secos e molhados.

Inocente, custou a duvidar da existência de Papai Noel e engoliu todas as histórias que lhe contaram sobre Zwi Migdal, associação de judeus dedicada ao tráfico de escravas brancas que entre o final do século XIX e o início da Segunda Guerra Mundial trazia judias jovens e pobres da Europa para entregá-las à prostituição, as tais "polacas" que seu avô traçara nos puteiros da rua Conde de Lages, na Lapa.

A infância foi dura e a juventude não menos penosa. Lavou chão e espanou balcões, vendeu meias, mourejou de sete às sete, emendando, sem jantar, com o curso noturno, que ia até as onze da noite. Moleque, divertia-se cuspindo na cabeça dos enfarpelados passantes que a caminho do Theatro Municipal desfilavam debaixo do sobrado na rua Evaristo da Veiga, quase esquina da Treze de Maio, onde morou na adolescência. Mais inteligente que estudioso, formou-se em segundo lugar no curso de direito, destacando-se nas disciplinas de medicina legal e direito penal.

Revelou-se, na advocacia, um profissional dedicado, íntegro e idealista; até que, cansado das petições, defesas e burocracias da lei, concentrou quase toda sua energia no que mais gosta na vida: sexo. Para desespero de seu sócio, Leon Wexler, com quem divide um escritório, de cuja janela avista-se, sim, uma paisagem de postal: o mar da baía, o parque do Flamengo e o Morro da Urca.

Wexler (ou Weksler, como é grafado nesta quarta aparição de Mandrake) é um advogado sério, experiente, misto de mentor e pai adotivo de Paulo Mendes. Cuida exclusivamente das causas cíveis, que não rendem intrigas policiais, e só se mete nos casos de extorsão, chantagem e latrocínio assumidos por seu protegido se este correr algum perigo de que o delegado Raul, fraternal amigo de Mandrake, não possa dar conta. Há muito acostumou-se ao humor ácido, ao cinismo, ao sarcasmo e ao pernosticismo intelectual do amigo, mas sua ginecomania ainda o desconcerta.

"Gostar de mulheres dessa maneira é ainda mais neurótico do que odiá-las", comentou de uma feita Wexler/Weksler, que nem precisou ver a galeria privada de retratos-pôsteres das conquistas amorosas do sócio para tachá-lo, também, de obsessivo-compulsivo. Mandrake alega que sempre fica quieto, as mulheres é que o provocam. Ao assédio não costuma opor resistência. Tem sido assim desde que descobriu, precocemente, que só na atividade sexual encontra seu ponto de equilíbrio.

A cicatriz que exibe na testa desde a adolescência foi causada, involuntariamente, por uma mulher. Ela, gostosona, passava na rua, na direção oposta, ele virou para admirar-lhe o traseiro e enfiou a cara num poste. As demais — Marina e suas nádegas apetitosas; Gilda; Lili; Mariazinha; a impulsiva Berta Bronstein, sparring no xadrez; a nabokoviana Ada e seus "quadríceps salientes curvilíneos suntuosos"; Lilibeth e sua "elegância mórbida"; Ligia, ex-namorada de faculdade, atual mulher de Raul; Bebel e sua "pervertida candura"; Helô, a doida que tirou de um sanatório em Botafogo; Miriam; Elizabeth; Laura etc., etc., etc. — só lhe deixaram marcas no coração e na memória, se tanto.

Prefere as magras, ou melhor, as falsas magras, sem distinção de raça e cor. Das quatro ou cinco prostitutas que levou para a cama, duas eram negras. Mulher bronzeada, definitivamente não. Para ele, o bronzeamento é um artifício broxante: "Usar o sol como cosmético é uma estupidez."

Comer por via oral também o enche de prazer. Frugal no café da manhã (laranjada e queijo-cavalo), não teme abusar das calorias no almoço, preferencialmente em restaurantes portugueses do centro do Rio e sempre regado a vinho luso (Periquita, Acácio, Terras Altas), que até em jejum é capaz de beber. Já teve uma cozinheira chamada Celeste, que ao almoço lhe preparava franguinho com farofa, rosbife com champignon e salada de aspargos frescos, complementados por um Grão Vasco, "esvaziado" com queijo Serra da Estrela e torradas. Fechando o repasto, o indefectível charuto, se possível cubano: os havanas médio e supremo, partagas D-4.

Não gosta de televisão e celular, jamais pensou em comprar um iPod, difícil imaginá-lo com um e-reader na cama, que é onde prefere ler, não antes de dormir, mas antes de levantar, hábito tão relaxante quanto uma partida de xadrez — depois do xeque-mate, claro.

Muito nervoso, joga xadrez para se irritar, "explodir in camera", pois lá fora é perigoso, há que se manter a calma. Joga sempre com as brancas, "empregando o bispo em flanqueto".

Como o gosto por vinhos, charutos, mulheres, restaurantes portugueses e tantas outras coisas, sua elurofilia se confunde com a do próprio escritor, que também teve uma gata siamesa chamada Elizabeth, vesga de olhos azuis, a quem amou mais do que a qualquer mulher, como prova o breve e comovente relato "Betsy", que abre *Histórias de amor*. Abrigou por uns tempos um lagarto chamado Diamante Negro, mas só enquanto viveu com Berta Bronstein.

Detesta dormir ("uma fraqueza") e qualquer distração — ler, ver televisão ou filme, ouvir música — lhe tira o sono. Sofre de insônia desde garoto. Chegou a passar dois meses inteiros fingindo que dormia. "Esse menino precisa dormir", alertou o pediatra, "dormir para sonhar." Só que ele sonhava acordado, imaginando o que seria na vida, indeciso entre o legionário Beau Sabreur, o galante aristocrata Pimpinela Escarlate e Pardaillan, o cavaleiro errante de Michel Zévaco cujas aventuras também encantaram o jovem Jean-Paul Sartre.

Como é do conhecimento público, Paulo Mendes acabou se transformando, mesmo, no Philip Marlowe carioca.

CONHEÇA OS
TÍTULOS DA COLEÇÃO
MISTÉRIO E SUSPENSE

- » *A casa do medo*, Edgar Wallace
- » *A ilha das almas selvagens*, H.G. Wells
- » *A letra escarlate*, Nathaniel Hawthorne
- » *A volta do parafuso*, Henry James
- » *Arsène Lupin e a rolha de cristal*, Maurice Leblanc
- » *Drácula vol. 1*, Bram Stoker
- » *Drácula vol. 2*, Bram Stoker
- » *Frankenstein*, Mary Shelley
- » *Mandrake: a Bíblia e a bengala*, Rubem Fonseca
- » *Nas montanhas da loucura*, H.P. Lovecraft
- » *O cão dos Baskervilles*, Arthur Conan Doyle
- » *O chamado de Cthulhu*, H.P. Lovecraft
- » *O coração das trevas*, Joseph Conrad
- » *O Doutor Negro e outros contos*, Arthur Conan Doyle
- » *O Fantasma da Ópera*, Gaston Leroux
- » *O homem invisível*, H.G. Wells
- » *O hóspede de Drácula e outros contos estranhos*, Bram Stoker
- » *O médico e o monstro*, Robert Louis Stevenson
- » *O paraíso dos ladrões e outros casos do Padre Brown*, G.K. Chesterton
- » *O retrato de Dorian Gray*, Oscar Wilde
- » *O sussurro nas trevas*, H.P. Lovecraft
- » *Os casos de Auguste Dupin*, Edgar Allan Poe
- » *Os sete dedos da morte*, Bram Stoker
- » *Os três instrumentos da morte e outros casos do Padre Brown*, G.K. Chesterton

DIREÇÃO EDITORIAL
Daniele Cajueiro

EDITORA RESPONSÁVEL
Janaína Senna

PRODUÇÃO EDITORIAL
Adriana Torres
Laiane Flores
Allex Machado

REVISÃO
Eduardo Rosal
Helena Mayrink
Kamila Wozniak

PROJETO GRÁFICO E DIAGRAMAÇÃO
Anderson Junqueira

DIAGRAMAÇÃO
Alfredo Loureiro

Este livro foi impresso em 2023,
pela Corprint, para a Nova Fronteira.